SOS CRÉATURES FANTASTIQUES

Catalogage avant publication de Bibliothèque et Archives nationales du Québec et Bibliothèque et Archives Canada

Morgan, Matthew

Trolls en péril

(SOS Créatures fantastiques)
Traduction de: Bang Goes a Troll.
Pour les jeunes de 6 à 11 ans.

ISBN 978-2-7625-8949-8

I. Sinden, David. II. Macdonald, Guy. III. Duddle, Jonny.
IV. Binette, Louise. V. Titre. VI. Collection: SOS créatures fantastiques.

PZ23.M6746Tr 2010   j823'.92   C2010-941385-7

© 2009 Matthew Morgan, David Sinden et Guy MacDonald
Publié en accord avec Simon & Schuster UK Ltd de Londres;
une entreprise de CBS Company
Illustrations de Jonny Duddle
Traduit de l'anglais par Louise Binette

Pour le Canada
© Les éditions Héritage inc. 2010
ISBN: 978-2-7625-8949-8

Nous reconnaissons l'aide financière du gouvernement du Canada, par l'entremise du Programme d'aide au développement de l'industrie de l'édition (PADIÉ), pour nos activités d'édition.

SOS CRÉATURES FANTASTIQUES

Trolls en péril

Par les Beastly Boys
Illustrations de Jonny Duddle

Traduction de Louise Binette

Révision de Ginette Bonneau

Ce soir,

regarde la lune.

Fixe-la

Et demande-toi :

Est-ce que
je me sens brave ?

CHAPITRE I

Au sommet d'une montagne enneigée, le blizzard fait rage. Un homme de grande taille vêtu d'un long manteau de fourrure avance en chancelant dans la neige qui lui arrive aux genoux, et jette un coup d'œil dans l'entrée des grottes. Il relève son haut col de fourrure pour se protéger du vent, et regarde à l'intérieur d'un trou dans le sol.

— C'est celui-là, marmonne-t-il. Brutus ! Minus ! Par ici !

— On arrive, baron Marrakech.

Deux hommes avancent péniblement vers lui dans la neige. L'un est petit et tient une carabine. L'autre, costaud et la barbe couverte de givre, traîne un long tuyau noir.

— Mets le tuyau là-dedans, Brutus, ordonne le baron Marrakech.

Le gros homme enfouit le bout du tuyau dans le trou. Il tourne un robinet de distribution, et de l'huile noire et épaisse commence à se répandre dans la montagne.

Les trois hommes attendent en silence tandis que le liquide s'écoule du tuyau en gargouillant. Des flocons de neige tourbillonnent autour d'eux, blanchissant leurs cheveux et leurs vêtements.

— On g-g-gèle ici, bredouille le petit homme.

La carabine cliquette entre ses mains, et un glaçon de morve pend à son nez. Il scrute le flanc de la montagne, suivant des yeux le tuyau relié à un réservoir d'huile ainsi qu'un fourgon à bestiaux garé sur un sentier glacé.

— P-p-puis-je attendre dans le fourgon, m'sieur ?

— Reste où tu es, Minus. T'es qu'un pleurnichard, rétorque le baron.

— Oui, b-baron M-Marrakech. Désolé, b-baron M-Marrakech, balbutie le petit homme.

Le baron se tourne vers Brutus, et sa botte en peau de serpent frappe brusquement le sol.

— Grouille ! aboie-t-il.

Le gros homme regarde dans le trou.

— On a presque fini, m'sieur.

2

Un gargouillis s'échappe du tuyau, et Brutus secoue les gouttes noires et huileuses à son extrémité.

— Tout le réservoir y est?

— Tout y est, m'sieur.

— Splendide, dit le baron. Minus, passe-moi les allumettes. Il est temps d'enfumer ces trolls.

Minus fouille dans la poche de son vieux veston et tend au baron une boîte d'allumettes déformée.

Marrakech gratte une allumette. La flamme brille pendant un instant, puis s'éteint. Il tente d'en craquer une deuxième, mais l'allumette se brise en deux.

— Ce sont de vieilles allumettes, Minus!

— Je les ai trouvées au bureau de la réception, à l'hôtel.

— Ce que tu peux être nul! marmotte Marrakech.

Il prend le reste des allumettes dans la boîte et les flambe toutes en même temps. Elles s'allument en crépitant, et le baron les laisse tomber dans le trou. Un rugissement s'élève lorsque l'huile prend feu et que les flammes jaillissent sous la terre. Partout sur la montagne enneigée, une épaisse fumée noire monte des trous et des grottes en tournoyant.

— Attention ! s'écrie le baron Marrakech.

Il se cache derrière Brutus, utilisant le gros homme comme bouclier. Minus s'accroupit à côté de lui.

— Bouge-toi, Minus, râle le baron. C'est toi qui vas tirer !

Il pousse le petit homme devant.

Minus grelotte dans le vent et la neige, jetant des regards furtifs à droite et à gauche tout en pointant sa carabine d'une grotte fumante à une autre.

À l'intérieur de la montagne, les bêtes souterraines se font entendre, poussant grognements et cris perçants, mugissements et cris rauques. Bientôt, elles sortent des grottes en toute hâte pour tenter d'échapper à la fumée. Un ours de glace bondit sur la neige en rugissant. Une chouette vampire s'envole en poussant un hululement. Une araignée spectrale géante détale en sifflant.

— Ce sont les trolls que je veux ! rouspète le baron.

— En voilà un ! lance Brutus.

Un énorme troll vert surgit à quatre pattes d'une grotte enfumée, fendant l'air de ses longues défenses. De la fumée s'échappe de ses narines lorsqu'il gronde. Le troll aperçoit Minus et se redresse, se frappant la poitrine.

— Oumf ! Oumf ! Oumf !

— Au secours ! hurle Minus.

Toujours à l'abri derrière Brutus, le baron Marrakech risque un regard et indique le troll du doigt.

— Tire-le, espèce de crétin !

Minus braque sa carabine sur le troll. Il claque des dents en appuyant sur la détente. Une fléchette empennée contenant un tranquillisant est brusquement éjectée et touche le troll à la poitrine.

Celui-ci trébuche et tombe par terre avec un bruit sourd. Il gît à plat ventre dans la neige, inconscient.

Minus virevolte au moment où un autre gros troll vert sort de la grotte en courant.

— Vise entre les yeux ! crie le baron.

Minus tire une autre fléchette qui s'abat sur le bras du troll. La créature bascule dans la neige. Un autre troll surgit, et Minus tire de nouveau. La fléchette à plumes atteint le troll au nez.

— Derrière toi ! signale Brutus.

Deux autres trolls sortent en trombe de la montagne envahie de fumée, et Minus tire deux fois. Les trolls tombent l'un par-dessus l'autre.

Tour à tour, les trolls se précipitent hors de la grotte. On entend des grommellements et des

rugissements, de même que la détonation de la carabine et le sifflement des fléchettes de tranquillisant. L'un après l'autre, les trolls s'effondrent dans la neige.

Peu à peu, la montagne devient silencieuse et la fumée commence à se dissiper. Une vingtaine de trolls reposent par terre, inconscients et sous tranquillisants.

— Formidable ! s'exclame le baron Marrakech en surgissant derrière Brutus.

Il marche dans la neige jusqu'à l'un des trolls et le pousse de sa botte en peau de serpent.

— Il dort comme un bébé. Brutus, choisis-en cinq jeunes et mets-les dans le fourgon.

Brutus avance d'un pas traînant pour examiner les trolls endormis.

— Comment savoir lesquels sont jeunes, m'sieur ? Ils sont tous gros et laids.

— La peau des jeunes est plus douce, répond le baron Marrakech.

Brutus s'agenouille et pince la joue d'un troll, tirant la peau épaisse et caoutchouteuse.

Minus trottine jusqu'au baron.

— Qu'est-ce qu'on va faire d'eux, m'sieur ?

Le baron se frotte les mains.

— Nous les utiliserons dans le prédatron.

— Le prédatron ! répète Minus d'un ton excité.

— Ces stupides bêtes n'auront aucune chance.

— Mais si on se fait pincer, m'sieur ? demande Minus.

Le petit homme regarde sournoisement d'un côté et de l'autre.

— Si vous-savez-qui apprend ce qu'on fait ?

— J'ai tout prévu, répond le baron Marrakech avec un large sourire.

Il effleure le moignon de chair sur sa main droite là où devrait se trouver son petit doigt, puis il lève la main.

— Maintenant, répétez après moi. Mort à la SRPCB !

Minus et Brutus plient le petit doigt et lèvent la main droite.

— Mort à la SRCPB ! clament-ils.

— La SR*PCB,* abrutis !

Le baron ramasse deux poignées de neige et les écrase au visage des deux hommes.

— Maintenant, embarquez-moi ces trolls ! J'ai une affaire importante à régler.

Minus et Brutus enlèvent la neige qu'ils ont reçue dans les yeux et regardent d'un air curieux le baron qui s'éloigne à grandes enjambées sur la montagne pour inspecter les grottes.

— Où es-tu ? Viens voir Marrakech !

Il arrête son regard sur un petit trou à une vingtaine de mètres de là. La tête d'une créature aux oreilles pointues et aux grands yeux blancs dépasse.

Le baron agite la main.

— Hou ! hou !

La créature se baisse vivement tandis que Marrakech court vers elle.

Le baron glisse la main dans le trou et sort la créature en la tenant par le cou.

— Eh bien, eh bien, qu'est-ce que nous avons là ? demande-t-il en plissant le nez.

C'est un gobelin gris. Sale et ridé, il se tortille entre les doigts du baron. Il tient une petite chauve-souris noire dans sa main osseuse.

— Ne me faites pas de mal, supplie le gobelin, dont le gros museau aplati se convulse.

Le baron sourit, et son visage est tordu comme un cœur de pomme pourri.

— Alors, on joue les espions, petit gobelin ?

Ce dernier écarquille ses yeux blancs et cligne les paupières.

— À l'aide ! gémit-il.

— Il n'y a personne pour t'aider ici, espèce de petite créature dégoûtante, dit le baron. La SRPCB est à des kilomètres d'ici !

Le gobelin regarde sa chauve-souris.

— Que faire, petite chauve-souris ? Que faire ?

— Donne-moi ça, gobelin, ordonne le baron Mar-rakech.

— Non ! Pas ma chauve-souris !

Le baron tend le bras vers la chauve-souris dans les mains du gobelin.

— J'AI DIT, DONNE-MOI ÇA !

CHAPITRE 2

À la SRPCB, la Société royale pour la prévention de la cruauté envers les bêtes, Louka traverse le parc des bêtes sur sa motoquad. Le soleil brille tandis qu'il accélère dans les Grands Pâturages et grimpe sur le pont qui surplombe la zone des carnivores. Au-dessous de lui, dans des enclos aux murs de brique, les bêtes carnivores lèvent les yeux : une gorgone siffle, un minotaure à long poil renâcle et un scorpion égyptien agite la queue.

À mi-chemin sur le pont, Louka s'arrête pour regarder une créature qui a le corps d'une girafe et la tête d'un piranha. C'est la giranha, le plus grand de tous les carnivores. Sa tête atteint la hauteur du pont. Elle se tourne vers Louka en faisant claquer ses dents.

Louka fouille dans un sac de nourriture à l'arrière de sa motoquad et s'empare d'un poulet congelé.

— C'est l'heure de casser la croûte ! dit-il en le lançant à la giranha.

Celle-ci étire son long cou, attrape le poulet en plein vol et le gobe.

— Tu rentres chez toi aujourd'hui, ajoute Louka. Orion s'en vient te chercher.

Il se retourne en entendant quelqu'un marcher parmi les arbres en bordure de la Sombre Forêt. Orion le géant s'amène à grands pas, un câble à l'épaule.

— Comment va-t-elle ? demande le géant d'une voix retentissante.

— Très bien, répond Louka.

Orion marche jusqu'à l'enclos de la giranha et fait glisser le verrou en métal qui retient la grille. Au moment où le géant ouvre la grille, la giranha se dresse sur ses pattes de derrière.

— Holà ! dit Orion.

La giranha martèle le sol avec ses sabots, creusant de gros trous dans la terre. Elle se met à pousser des cris stridents.

— Doucement, ma belle, la rassure Orion en fixant un collier au bout de sa corde.

La giranha fait un mouvement brusque vers lui, la gueule ouverte, et Orion referme le collier autour de son cou. Il tire sur la corde de ses bras puissants et parvient à calmer l'animal.

Orion est énorme. Il peut maîtriser n'importe quelle bête. Il regarde Louka sur le pont.

— Tu peux y aller.

Louka emballe le moteur de sa motoquad et descend de l'autre côté du pont en agitant un autre poulet congelé.

— Viens, ma belle, viens le chercher !

La giranha le suit des yeux.

— C'est ça, Louka, approuve Orion. Maintenant, donne-le-lui !

Louka lance le poulet dans les airs. Orion relâche la corde, et la giranha sort brusquement de son enclos, attrapant le poulet entre ses mâchoires.

Louka tient un troisième poulet au-dessus de sa tête tandis qu'il pénètre dans la Sombre Forêt.

— Viens chercher ton repas !

Il roule à toute vitesse sur le sentier qui traverse la forêt et entend la giranha qui avance à pas lourds derrière lui en se frayant un chemin entre les arbres. Il lance le poulet par-dessus sa tête et se retourne juste à temps pour voir la bête mordre dedans. Orion serre fermement la corde pour empêcher la giranha de charger. Louka brandit un quatrième poulet et accélère pour inciter la bête à le suivre dans la forêt.

Une étincelle vole en travers du sentier juste devant lui. C'est Tiana la fée.

— Bonjour, Louka.

— Attention ! prévient Louka en faisant une embardée. La giranha s'amène !

Tiana est l'amie de Louka et elle vit dans la Sombre Forêt avec les autres fées. Elle s'affaire à ramasser des feuilles afin de se confectionner une cape pour l'automne.

Elle se réfugie rapidement derrière un arbre, observant d'un air inquiet la giranha qui passe à pas pesants en crachant des os de poulet.

Louka continue sa course, contournant le marécage et traversant un fourré. Sa motoquad bondit par-dessus les branches tombées et dérape sur des feuilles mouillées. Il passe dans les flaques, et la boue qui couvre les roues éclabousse son jean et son t-shirt. Puis les arbres se font plus rares, et il roule sous le soleil de l'après-midi. Il entend le cri aigu de la giranha lorsqu'elle émerge de la forêt derrière lui, suivie d'Orion.

Le géant l'interpelle :

— Préviens D^{re} Roussel que la giranha est prête à partir !

La SRPCB est un refuge pour les bêtes de toute espèce rare ou menacée. La giranha y a été amenée il y a trois mois, après s'être cassé une patte de derrière. D^{re} Roussel, la vétérinaire de la SRPCB, a inséré une tige de métal d'un mètre de long dans l'os de sa cuisse pour la guérir. Orion a aidé la giranha à reprendre des forces en l'amenant nager dans le lac d'eau douce. Aujourd'hui, elle est complètement guérie et prête à être relâchée dans la nature.

Louka longe le lac d'eau douce à vive allure et entre dans le pâturage. Les ânetilopes bondissent au soleil. Un griffon pousse un cri dans la volière, et Louka tourne la tête pour le voir se poser sur les branches d'un chêne. Il met ses pieds poilus sur les repose-pieds et se lève sur sa motoquad, tournant la poignée des gaz de sa main velue.

Bien qu'il ressemble à un garçon humain, Louka a du sang animal. C'est un loup-garou ; les soirs de pleine lune, il se transforme en loup. Il habite à la SRPCB.

— Ouvrir ! lance-t-il en arrivant devant une grille au bout du pâturage.

La grille à commande vocale s'ouvre automatiquement, et il pénètre dans la cour, s'immobilisant devant un imposant manoir de campagne. C'est le pavillon Brizard, le quartier général de la SRPCB. Louka monte sur le siège de sa motoquad et regarde par une fenêtre ouverte.

— Docteure Roussel !

— Un instant, Louka.

La vétérinaire est au téléphone dans son bureau.

— C'est une nouvelle réjouissante, Monsieur le Ministre. Les dragons de l'Antarctique sont les seuls dragons au monde qui ne volent pas. Il y a déjà longtemps qu'on aurait dû protéger cette espèce. Merci.

Elle raccroche.

— Qu'est-ce qu'il y a, Louka ?

— Orion amène la giranha.

— Excellent. Le camion attend. Je te rejoins à l'avant.

Louka contourne le pavillon Brizard pour se rendre dans la cour avant. Garé devant l'entrée se trouve le plus haut camion qu'il ait jamais vu. Ses portes arrière sont ouvertes et une rampe mène à l'intérieur. On a étendu de la paille sur le plancher et rempli une auge d'eau.

Louka entend un martèlement de sabots d'un côté de la maison. Il se retourne et aperçoit la giranha, retenue par Orion.

— Tout doux, dit le géant.

Louka lance quatre poulets congelés à l'arrière du camion. La giranha le voit faire et grimpe aussitôt la rampe. Elle pousse un cri strident, puis happe l'un des poulets qui se trouvent sur la paille.

— C'est ça, ma jolie, dit Orion. Mange.

Tandis que la giranha dévore le poulet à belles dents, Orion fixe des sangles autour de son corps pour la maintenir en équilibre durant le long trajet qui l'attend. Puis il descend et referme les portes.

— Merci, Louka.

D^re Roussel sort de la maison et se dirige vers le camion pour parler au chauffeur dans la cabine.

— Prenez bien soin d'elle. C'est une bonne vieille bête.

— Je veillerai à ce qu'elle rentre chez elle en toute sécurité, répond le chauffeur en démarrant le moteur.

Louka saute de sa motoquad et ouvre les grilles. Il regarde le camion s'éloigner et remonter la longue allée. La giranha retourne chez elle, dans la jungle africaine. Louka est heureux. Il l'imagine se promenant en liberté et se frayant un passage entre les arbres touffus.

— Beau travail, tout le monde, dit D^re Roussel en verrouillant les grilles. Cette giranha est guérie et peut maintenant retourner dans la nature.

Le sourire aux lèvres, Louka remonte sur sa motoquad et suit Orion, qui traverse la cour en sifflant.

— As-tu besoin d'un coup de main pour quoi que ce soit d'autre ? demande le garçon.

— Non, merci, Louka. Il ne me reste qu'à laver la baleine des sables, puis j'ai terminé.

Il s'empare d'un balai tout près de la salle des équipements et le glisse dans sa ceinture.

— Va plutôt te chercher à manger, suggère le géant. Il te faut des forces pour demain.

C'est demain soir qu'aura lieu la transformation de Louka. La lune sera pleine, et il se changera en loup.

Pendant qu'Orion se dirige vers le dôme désertique, Louka gare sa motoquad devant l'entrepôt de nourriture. Il va chercher un saucisson dans le réfrigérateur à viande et s'installe sur la clôture du pâturage pour le manger. Les ânetilopes mexicaines gambadent dans l'herbe haute. Louka entend le beuglement sourd de l'éléphantosaure mongolien dans les Grands

Pâturages, et de la montagne du Soleil couchant lui parvient le *errrrouuuu* du Sasquatch.

Toutes les bêtes finiront par partir et regagner leur habitat naturel un jour. Louka se demande quand viendra son tour. Il a vécu à la SRPCB presque toute sa vie, depuis qu'il y a été amené alors qu'il n'était qu'un bébé loup-garou.

Louka remarque une étincelle qui passe en flèche au-dessus du pâturage. C'est Tiana la fée.

— Regarde, Louka, dit-elle en désignant quelque chose du doigt.

Elle suit une petite chauve-souris qui vole vers le pavillon Brizard.

— Une chauve-souris messagère ! s'écrie Louka avec enthousiasme.

Il saute en bas de la clôture et court vers la maison, observant la chauve-souris qui tourne en rond au-dessus des tuyaux de cheminée. Elle finit par se percher sur le nez d'une gargouille en pierre sur le toit.

« Oh, oh ! » pense Louka.

La gargouille prend soudain vie et tend les deux mains.

— Je t'ai eue ! dit-elle en les refermant autour de la minuscule créature noire.

20

— Grimaud, laisse-la tranquille! hurle Tiana.

Grimaud la gargouille déroule sa langue jaune et déguerpit le long d'une descente de gouttière, serrant la petite bête entre ses mains.

— Arrête, Grimaud! proteste Louka en courant vers lui. C'est une chauve-souris messagère.

— Messagère, glousse Grimaud en sautant par terre. Grimaud l'a attrapée.

La gargouille presse l'animal contre sa poitrine et fait la grimace.

Au même moment, la porte latérale du pavillon Brizard s'ouvre, et D^{re} Roussel apparaît.

— Qu'est-ce que c'est que tout ce bruit?

— Une chauve-souris messagère vient d'arriver, explique Louka.

D^{re} Roussel fixe la gargouille.

— Grimaud, donne-moi ça.

Ce dernier fait la moue.

— Sois gentil, Grimaud, dit-elle pour le mettre en garde tout en s'approchant.

La gargouille ouvre les mains, et la vétérinaire s'empare de la petite chauve-souris noire.

— Merci.

— Blouuurp!

Grimaud fait pfft et détale en remontant la descente de gouttière jusque sur le toit.

— Qui l'envoie ? demande Louka.

D^{re} Roussel immobilise la chauve-souris et examine un petit anneau doré fixé à l'une de ses pattes. Un code est gravé dessus.

— *Guetteur NOR8,* lit la vétérinaire.

On a glissé un bout de papier sous l'anneau.

— Louka, tu veux bien lire ce message, s'il te plaît ?

Tandis que D^{re} Roussel tient la chauve-souris, Louka retire le papier avec précaution et le déroule. Deux mots y sont griffonnés : **AU SECOURS !**

CHAPITRE 3

— Qui est le guetteur NOR8 ? demande Louka.

Il suit D^re Roussel qui amène la chauve-souris messagère à l'intérieur du pavillon Brizard.

— Il va falloir que je vérifie dans la base de données des guetteurs, répond la vétérinaire.

Les guetteurs sont des bénévoles de la SRPCB postés partout dans le monde. Ayant le rôle de transmettre des données liées à l'activité des bêtes dans la nature, ils sont essentiels au bon fonctionnement de la Société. D^re Roussel avance rapidement dans le corridor. Louka court derrière elle, le message à la main.

— Croyez-vous que c'est urgent ? demande-t-il.

Tout ce que dit le message, c'est **AU SECOURS !**

— J'espère que ce n'est rien de grave, dit D^re Roussel en ouvrant la porte du centre informatique.

Louka enfouit le bout de papier dans sa poche en entrant dans la pièce.

Le centre informatique est le cœur du réseau des guetteurs de la SRPCB. Des cartes géographiques, des lettres et des photographies de bêtes sont épinglées aux murs. On y trouve un tableau identifiant les endroits où des créatures ont été aperçues, des rapports empilés sur des étagères et un bureau avec ordinateur à côté duquel on a placé une petite cage à chauve-souris.

D^{re} Roussel dépose la chauve-souris messagère dans la cage et s'assoit devant l'ordinateur pour consulter la base de données des guetteurs. Elle tape le code NOR8, et l'ordinateur lance sa recherche.

Louka ouvre la fenêtre en voyant Tiana lui faire signe. La fée entre et se pose près de la cage.

— Je vais la nourrir, dit-elle.

À deux mains, la fée soulève le couvercle d'une boîte en métal sur laquelle est inscrit : REPAS POUR MESSAGERS. Elle prend une sauterelle séchée et la glisse entre les barreaux de la cage.

Tandis que la chauve-souris grignote, Louka étudie le tableau des guetteurs qui identifie les endroits à travers le monde où des bêtes ont été aperçues.

GUETTEUR AUS129 : Sirène repérée dans le port de Sydney, en Australie.

GUETTEUR GBR215 : Démon aperçu dans la cathédrale de Westminster, en Angleterre.

GUETTEUR ÉUN333 : Nid de nymphes découvert dans un champ de maïs du comté de Delaware, en Pennsylvanie.

GUETTEUR NÉP56 : Empreintes de yéti aperçues près d'une épicerie au camp de base du mont Everest.

— C'est étrange, souligne D^{re} Roussel.

Louka se tourne vers l'écran d'ordinateur. Il lit : **GUETTEUR INACTIF.**

— Il doit s'agir d'un des plus anciens, dit la vétérinaire.

Elle fait pivoter sa chaise de façon à faire face à la porte, place ses doigts dans sa bouche et siffle. Une petite créature en forme de main s'amène dans la pièce en courant sur le bout des doigts. Elle grimpe le long du pied du bureau et tape du doigt, attendant des instructions. C'est le coup de main, une bête occupée qui assiste D^re Roussel dans le travail de bureau.

— Peux-tu vérifier ce qu'on a sur NOR8 ? demande la vétérinaire.

Le coup de main se précipite vers une armoire dans un coin. Il ouvre la porte avec ses doigts, et des liasses de papiers tombent sur le plancher. L'armoire est pleine à craquer. Il commence à feuilleter rapidement les dossiers et les notes. Louka le regarde sortir des feuilles de papier et les jeter de côté. Le coup de main disparaît ensuite au fond de l'armoire, et Louka entend un bruissement. Le coup de main parcourt les plus anciens dossiers, ceux des guetteurs qui ne sont pas entrés en contact avec la SRPCB depuis que les données ont été informatisées.

— La majorité des plus vieux guetteurs sont inactifs aujourd'hui, explique D^re Roussel.

Le coup de main sort précipitamment de l'armoire. Il grimpe sur la table et tend une feuille froissée à la vétérinaire.

— Merci, dit-elle.

Louka observe le formulaire chiffonné et jauni par le temps, et rempli à la main à l'encre noire. Dans le haut de la feuille est inscrit : **PERMIS DE GUETTEUR**

27

DE LA SRPCB; dans le coin supérieur figure le code *NOR8*. Une photographie en noir et blanc est agrafée au formulaire.

— Comme c'est bizarre…

D^re Roussel montre la photo à Louka. C'est celle d'une bête avec de grands yeux blancs, des oreilles pointues et un gros museau aplati.

— Le guetteur NOR8 est un gobelin, déclare-t-elle.

— Un gobelin ! s'exclame Tiana en levant les yeux.

— Qu'est-ce qu'il y a de bizarre là-dedans ? demande Louka.

— J'ignorais que les gobelins pouvaient devenir guetteurs, répond la vétérinaire.

Elle lit le formulaire :

— *Nom : Boule de gomme.*

— Les gobelins sont dégoûtants, Louka, dit Tiana. Ils sont sales et ils puent. En plus, ils sont voleurs.

D^re Roussel dévisage la fée en fronçant les sourcils.

— Tiana, ce n'est pas gentil de dire ça.

— Eh bien, c'est la vérité, insiste la fée. Les gobelins ne devraient pas avoir le droit d'être guetteurs.

D^re Roussel poursuit sa lecture.

— *Basé en Norvège.*

— En Norvège ? répète Louka.

— Dans un endroit nommé la montagne Trouée. Cette chauve-souris messagère a traversé l'océan.

D^re Roussel tape **MONTAGNE TROUÉE** sur le clavier de l'ordinateur afin d'obtenir de l'information de la base de données.

— Elle fait partie de la chaîne de montagnes Jotunheim.

Une image numérique en trois dimensions apparaît à l'écran. On y remarque une multitude de trous et de cavernes ainsi qu'un réseau de tunnels.

— Cette montagne abrite des bêtes souterraines, ajoute la vétérinaire.

Elle clique sur des photos d'araignées spectrales, de sangsues-éléphants, de mantes des cavernes, de serpents-sabre et de trolls à longues défenses.

— Qu'est-ce qui a pu se passer là-bas ? demande Louka.

— J'imagine que le gobelin a dû rester pris dans un trou, répond D^re Roussel.

— Les gobelins ont toujours le nez fourré là où ils n'ont pas d'affaire, dit Tiana.

Louka regarde D^re Roussel brancher un terminal de poche et télécharger l'information à partir de l'ordinateur.

— Vous n'allez pas vous rendre là-bas, n'est-ce pas ? demande Tiana. Ce n'est qu'un gobelin.

— N'empêche, je dois quand même vérifier, dit la vétérinaire. Je vais prendre l'hélicoptère.

Elle fait apparaître une carte satellite à l'écran de l'ordinateur pour consulter la météo. Des nuages sombres tournoient sur l'image.

— Il y a une tempête au-dessus de l'océan. Elle se dirige vers nous. Je partirai très tôt demain matin, dès que le ciel se sera éclairci.

— Je peux y aller avec vous ? demande Louka.

Il n'a jamais vu de gobelin. Malgré ce que Tiana a raconté, il est persuadé que ça lui plairait bien.

— Ça ira, Orion m'accompagnera. Merci, répond D^re Roussel.

Elle se lève et marche jusqu'à la porte.

— Nous ne serons pas partis longtemps.

— Mais je pourrais vous aider, insiste le garçon.

— Les régions sauvages sont des endroits dangereux, Louka, dit la vétérinaire. De toute façon, j'ai besoin de toi pour surveiller ce qui se passe ici.

Elle quitte la pièce et s'éloigne dans le couloir.

Louka est déçu. Il n'a jamais l'occasion d'aller en expédition.

— Mais qui donc voudrait faire d'un gobelin un guetteur ? marmonne Tiana.

Elle caresse la chauve-souris entre les barreaux de la cage.

Louka reporte son regard sur le permis du guetteur. Il lit le serment de la SRPCB qui y est imprimé :

« Je jure solennellement de préserver et de protéger la nature. Désormais, je fais allégeance aux bêtes. »

Sous le serment apparaît une signature griffonnée d'une écriture maladroite :

Boule de gomme

La ligne suivante se lit ainsi :

Avec l'approbation de : Professeur C.-A. Brizard

— Le professeur Brizard ! s'exclame Louka. C'est lui qui a permis à ce gobelin de devenir guetteur.

— Il devait être fou, dit Tiana entre ses dents.

Louka la regarde d'un air désapprobateur.

31

Le professeur a vécu au pavillon Brizard il y a très longtemps. Il a été le premier cryptozoologiste du monde et le fondateur de la SRPCB.

Au même moment, Louka entend des plaintes et des grognements venant d'en haut. Il se précipite vers la porte et passe la tête dans le couloir.

— Où vas-tu? demande Tiana.

— Écoute. C'est lui, Tiana.

Le fantôme du professeur Brizard hante maintenant la vieille bibliothèque du pavillon Brizard.

— Allons voir ce qu'il veut.

Louka se met à courir dans le couloir en direction de l'escalier.

— Mais c'est sinistre là-haut, proteste Tiana en volant derrière lui.

Il grimpe déjà l'escalier.

— Reviens, Louka!

Ce dernier baisse les yeux. La petite fée est perchée sur la rampe d'escalier. Le bout de ses ailes frémit.

— Tu n'as pas peur, n'est-ce pas? questionne Louka.

— Bien sûr que non, répond la fée en croisant les bras.

Louka lui tend la main.

— Viens. Il n'y a aucune raison de t'inquiéter.

Tiana s'accroche solidement aux poils dans la paume du garçon.

— Promets-moi seulement qu'on restera ensemble, dit-elle.

CHAPITRE 4

Louka monte l'escalier avec Tiana dans sa main. À pas de loup, il avance le long de la galerie des sciences et traverse la chambre des curiosités, dans laquelle sont entassés des artéfacts et de l'équipement datant d'expéditions anciennes. Il s'arrête devant une porte au fond de la pièce ; c'est l'entrée de la vieille bibliothèque, où vivent les créatures incorporelles : les fantômes, les spectres et les goules. Des gémissements et des grognements leur parviennent de l'intérieur.

— Prête ? demande Louka.

Mais avant que Tiana ne puisse répondre, la porte s'ouvre en grinçant. Dans la pénombre de la bibliothèque, une brume bleue incandescente disparaît entre les lattes du plancher. Une bouche hurlante s'évapore dans le mur dans un coin de la pièce tandis que, sur le palier de lecture, trois têtes grises fantomatiques s'élèvent et traversent le plafond.

Louka sent Tiana se cramponner à son doigt lorsque les plaintes et les grognements cessent. De l'autre bout de la bibliothèque obscure, une bougie s'approche en flottant vers lui. Sa flamme vacillante jette une lueur sur les rayons.

— Professeur, c'est vous ? demande-t-il.

La bougie passe à côté de Louka, qui sent un courant froid le parcourir lorsque le fantôme du professeur le traverse de part en part.

— Où va-t-il ? chuchote Tiana.

La bougie entre dans la chambre des curiosités, puis demeure en suspension au-dessus des boîtes et des caisses.

— Professeur, revenez ! lance Louka en le suivant.

La bougie zigzague entre les vitrines et les coffres. Elle passe devant la chaîne d'un dragon accrochée au mur, et la chaîne se met à cliqueter. Elle flotte au-dessus d'un bocal contenant des dents de vampires, et les dents se mettent à claquer.

— Qu'est-ce qu'il fait ? demande Tiana.

La bougie éclaire les objets, se déplaçant au-dessus des tables et le long des armoires. Les couvercles des malles et des coffres se soulèvent et se referment. Des tiroirs et des portes d'armoire s'ouvrent.

— Je ne sais pas, répond Louka.

La bougie flotte jusqu'au fond de la pièce et se pose sur une table. Un vieux sac à dos en toile rangé sous la table glisse vers eux.

Louka s'avance vers lui et voit ses courroies se détacher. Différents objets sortent alors du sac : une boussole en argent brillant s'envole et vient se nicher dans la poche de Louka ; une corde d'alpinisme se dresse en ondulant et s'enroule autour de son épaule ; une lampe frontale s'élève et vient se fixer autour de sa tête.

— Professeur, qu'est-ce que vous faites ? demande Louka.

Tiana regarde Louka en gloussant.

— Tu ressembles à un explorateur.

Une vieille carte géographique sort de l'une des pochettes du sac à dos et se déplie dans les airs. Elle a été dessinée à la main à l'encre noire, et elle est tachée et striée de traînées sales. Elle illustre des tunnels souterrains. Louka distingue des passages reliant des cavernes. Ils sont identifiés d'une écriture minuscule : *le garde-manger de l'araignée, la* salle des trolls, le repaire des sangsues, la grotte de Boule de gomme.

— Regarde, Tiana ! C'est là qu'est basé le gobelin.

Au bas de la carte, on peut lire : la montagne Trouée.

La carte se replie et vient se loger dans la poche de Louka.

— Sortons d'ici, dit Tiana qui s'envole en passant devant la bougie. Cet endroit me donne la chair de poule.

— Attends une minute.

Louka entend un cliquetis provenant du sac à dos. La courroie de la poche de côté se détache, et une petite boîte rouge en sort et s'élève dans les airs.

Le garçon la saisit. Lorsque le couvercle se soulève, il découvre des cartouches.

Il a le souffle coupé.

— Pose ça, Louka ! s'écrie Tiana.

Il laisse tomber la boîte qui heurte le sol avec fracas ; les cartouches s'éparpillent sur le plancher.

— Allons-nous-en, dit la fée. Ces balles sont dangereuses.

Mais au moment où Louka commence à s'éloigner tout doucement, il se sent traversé par le courant d'air glacial signalant la présence du fantôme du professeur. Les poils de son cou se hérissent. Louka baisse les yeux. Les cartouches roulent sur le plancher, surgissant du dessous des tables et de derrière les caisses, et reprennent leur place dans la boîte. Le couvercle se referme, et la boîte s'élève et retourne dans la main du garçon.

— Pose ça, Louka, supplie Tiana.

— Mais je ne peux pas ! Il refuse de me laisser faire.

Une pression maintient la boîte de cartouches dans la paume de sa main. Sur le côté de la boîte, il lit les mots suivants : **CARTOUCHES DE CHASSE À POINTE EN TITANE.**

La flamme vacille et s'éteint.

CHAPITRE 5

Louka quitte la chambre des curiosités et traverse la galerie des sciences en courant. En passant devant un cadre accroché au mur, il aperçoit son reflet dans le verre. Il s'arrête, s'attardant à la corde autour de son épaule et à la lampe frontale entourant sa tête. Il fixe la boîte de cartouches dans sa main.

— Tu devrais les donner à la D^{re} Roussel, dit Tiana en planant devant lui.

— Mais que faisait donc le professeur, Tiana ?

La fée tire l'oreille de Louka.

— Il voulait juste nous faire peur, répond-elle en s'envolant vers l'escalier. Viens.

Louka la suit en bas jusque dans la cour. Près de la salle des équipements, D^{re} Roussel et Orion se préparent pour leur expédition à la montagne

Trouée. Le soleil commence à baisser, et des nuages menaçants arrivent du large.

— La tempête approche, souligne Tiana en voletant autour de Louka.

Celui-ci la remarque à peine. Il réfléchit toujours à ce que le professeur lui a montré.

— Allez, donne ces balles à la D^{re} Roussel, insiste Tiana.

Une bourrasque de vent froid fait culbuter la fée, qui agrippe le t-shirt de Louka pour se remettre d'aplomb.

— Je retourne dans la forêt.

Tiana s'envole dans la cour, zigzaguant dans le vent.

— On se revoit demain matin, lance-t-elle avant de disparaître au-dessus de l'enclos des grosses bêtes.

Louka court vers D^{re} Roussel, serrant bien fort la boîte de cartouches.

— Où étais-tu passé, Louka ? demande la vétérinaire en le voyant habillé en explorateur.

— Dans la chambre des curiosités.

Orion se penche pour examiner la corde autour de l'épaule de Louka ainsi que la lampe frontale sur sa tête.

— Tu es allé fouiller dans les affaires du professeur, n'est-ce pas ?

Le géant tapote la lampe frontale en métal avec son doigt.

— Un modèle qui ne se fait plus de nos jours.

— J'ai trouvé ça, dit Louka en montrant la boîte de cartouches à la D^re Roussel.

Cette dernière s'empare de la boîte.

— Louka, qu'est-ce que tu fabriques avec des cartouches ? demande-t-elle.

— Elles étaient dans les affaires du professeur.

La vétérinaire prend une balle et l'observe attentivement.

— Ce sont des balles de combat, Louka. Elles sont extrêmement dangereuses.

La cartouche est brillante, et son extrémité est taillée en pointe.

— Pourquoi le professeur avait-il des balles ? demande Louka.

D^re Roussel fronce les sourcils.

— J'imagine qu'il a dû les confisquer à un chasseur de bêtes. Ces balles peuvent tuer, tu sais, Louka.

Orion s'agenouille pour mieux voir.

— Ce n'est pas joli. Seuls les humains ont pu inventer une chose aussi horrible.

— Les humains ? demande Louka.

— Autrefois, la chasse aux bêtes était considérée comme un sport, Louka, explique le géant. Les humains...

— Orion, ça suffit, l'interrompt D^{re} Roussel.

Elle se tourne vers Louka.

— Il n'y a plus de chasse aux bêtes de nos jours, Louka. Le professeur Brizard a fait adopter une loi pour l'interdire. Ce fut une importante victoire pour la protection des bêtes.

Louka regarde la vétérinaire glisser la boîte dans sa poche.

— Je vais détruire ces balles immédiatement, ajoute-t-elle. Et si jamais tu en trouves d'autres, n'y touche pas. Viens simplement me prévenir.

D^{re} Roussel lui adresse un regard sévère, puis traverse la cour en direction de la maison.

Louka aperçoit Grimaud la gargouille qui lorgne vers eux sur le toit du pavillon Brizard. La gargouille fixe D^{re} Roussel et pointe les doigts pour imiter un fusil.

— Pan ! fait Grimaud. Pan ! Pan !

La vétérinaire regarde en haut vers la gargouille qui ricane.

— Ce n'est pas drôle, Grimaud.

La gargouille fait la grimace et se change en pierre tandis que D^{re} Roussel ouvre la porte latérale du pavillon. Elle se tourne vers Orion.

— Nous partirons à l'aube. Tu auras besoin de ton câble de vol.

Le géant lève les pouces pour faire signe qu'il a compris, et D^{re} Roussel disparaît à l'intérieur.

— Je crois qu'elle est en colère contre moi, dit Louka.

— Non, Louka, elle ne l'est pas. Elle s'inquiète simplement pour toi, explique Orion.

Le géant ouvre la porte de la salle des équipements et tend le bras pour prendre le matériel d'expédition.

— Ces balles se trouvaient avec les affaires que le professeur a rapportées de la montagne Trouée, précise Louka.

— Je suppose qu'elles se sont retrouvées là par accident. La chambre des curiosités est pleine à craquer de vieilleries qui proviennent d'un peu partout.

Orion prend son câble de vol. Étant trop gros pour entrer dans l'hélicoptère, il vole au-dessous, suspendu à un long câble d'acier muni d'un cale-pied à son extrémité. De nouveau, il glisse la main à l'intérieur du bâtiment et en ressort une immense veste en treillis métallique.

— Qu'est-ce que c'est que ça? demande Louka en la fixant.

— C'est ma veste en cotte de mailles, répond Orion. Au cas où je croiserais des trolls.

Il la lève pour que Louka puisse bien la voir. Le métal est usé et cabossé.

— D^{re} Roussel dit qu'il y a des trolls à longues défenses dans la montagne Trouée. Ce sont les plus gros trolls qui existent, Louka. Leurs défenses peuvent nous transpercer d'un seul coup.

Orion plie la veste et replonge la main à l'intérieur pour prendre le sac à dos et les bottes de caoutchouc de la D^{re} Roussel.

— Crois-tu qu'il s'est passé quelque chose de grave à la montagne Trouée? demande Louka.

Le géant se redresse, les bras chargés d'équipement.

— N'accorde pas trop d'attention à ce que racontent les gobelins, Louka. Ils aiment bien semer la pagaille. La dernière fois que j'en ai vu un, il m'a volé ma bouilloire.

Il fait un clin d'œil à Louka et traverse la cour à grandes enjambées en direction de l'hélicoptère. Une fois dans la cour avant, il se retourne.

— Ne te fais aucun souci, lance-t-il. Nous serons de retour en un rien de temps.

Louka contemple le ciel obscur.

Des nuages noirs s'amassent là-haut.

CHAPITRE 6

Alors que le ciel s'assombrit, Louka longe l'enclos des grosses bêtes en direction d'un refuge en pierre dont les fenêtres sont munies de barreaux. C'est sa tanière. Il entre, enlève la corde enroulée autour de son épaule ainsi que la lampe frontale, puis retire la carte et la boussole de ses poches. Le message de Boule de gomme, le guetteur, tombe sur la paille, et Louka s'assoit pour l'examiner : AU SECOURS ! lit-il de nouveau.

Il se demande ce qui a pu arriver au gobelin. Personne ne semble aimer beaucoup ces créatures. Enfin, personne sauf le professeur Brizard. Il tend le bras vers sa cachette secrète dans un coin de sa tanière et s'empare d'un petit livre noir. C'est le vieux recueil de notes du professeur Brizard : *Le livre des bêtes*. Il commence à le feuilleter, apercevant au passage des notes sur le pistage des lutins, et un guide point par point sur la dentisterie du démon. Il voit un croquis du boulamonstre, un schéma d'un crâne de minotaure et des trucs pour faire entrer un poltergeist dans une bouteille. Il trouve une section sur les bêtes souterraines et s'arrête à un article intitulé : GOBELINS. Il lit :

Les gobelins excellent dans l'art de voler. Ils guettent dans l'ombre, attendant le moment de voler un petit bout de viande ou un bijou scintillant pour éclairer leurs cavernes. Il ne se passe rien sous la terre dont ils n'ont pas connaissance. Considérés comme sales et indignes de confiance, ils sont rarement appréciés ; mais soyez gentil avec un gobelin et il vous le rendra, car un gobelin n'oublie jamais un ami.

Louka sent le vent souffler entre les barreaux de sa fenêtre. Il fait noir dehors, et la pluie commence à tomber. Il rassemble les affaires du professeur autour de lui et ramène ses genoux contre sa poitrine. Il imagine le professeur explorant les cavernes et les tunnels souterrains lors de son expédition à la montagne Trouée, il y a très longtemps. Il songe aussi aux balles dans le sac à dos. Pourquoi le professeur les lui a-t-il données ?

Louka entend un gargouillis et un petit bruit de pas pressés sur le toit de sa tanière. Un éclair illumine le ciel, et la figure de Grimaud apparaît à l'envers dans l'embrasure de la porte.

La gargouille pointe les doigts vers Louka.

— Pan !

Louka bondit.

— Qu'est-ce que tu fais ici, Grimaud ?

Celui-ci se laisse tomber au sol et détale en contournant la tanière de Louka.

— Grimaud va à la chasse. À la chasse aux petites bêtes, gazouille-t-il.

Il surgit à la fenêtre, arborant un large sourire. Il fait mine de tirer entre les barreaux.

— Pan ! Pan !

— Arrête de faire l'idiot, Grimaud.

Ce dernier souffle sur le bout de ses doigts comme s'il s'agissait d'un fusil. Il se penche en avant et fait une affreuse grimace.

— Marrrrakech chassait les bêtes.

— Qu'est-ce que tu racontes ?

En entendant le nom de Marrakech, Louka sent un frisson lui parcourir l'échine.

— Vilain Marrakech, ajoute Grimaud.

Il porte son petit doigt à sa bouche et le mord.

— Je l'ai mordu. Je lui ai arraché le doigt.

Grimaud glousse et s'enfuit, retournant vers le pavillon Brizard en bondissant sous la pluie. Louka le regarde grimper à toute vitesse sur le toit.

— Il vient la nuit avec son fusil et son couteau, chantonne la gargouille. Sauve-toi, face de poil ! Sauve-toi !

Louka s'allonge dans le noir et pense à Marrakech. Celui-ci est le fils du professeur Brizard, et il a déjà vécu ici. Il déteste les bêtes, et il se montre méchant et cruel envers elles. Il a été chassé, mais il a tenté deux fois de reprendre possession du pavillon Brizard. Deux fois, Louka l'a vaincu.

Le garçon essaie de dormir, mais il n'y arrive pas. Il a le terrible pressentiment que quelque chose de grave se passe à la montagne Trouée. Il reste éveillé toute la nuit à écouter la tempête, songeant au message et aux balles. Lorsque l'orage s'apaise et que les premières lueurs du jour apparaissent dans le ciel, Louka sait ce qu'il doit faire. Il doit participer à cette expédition. Il doit découvrir ce qui se passe.

Louka ramasse la lampe frontale dans la paille et la met. Il fourre la carte et la boussole dans ses poches et balance la corde sur son épaule, puis il quitte sa tanière sans bruit.

La pluie a cessé et les nuages se dispersent. Dans le demi-jour, il reconnaît la lanterne d'Orion qui brille à l'autre bout du parc des bêtes. Le géant revient après avoir distribué aux animaux leur ration matinale. Louka traverse la cour à toute vitesse et s'immobilise au coin de la maison, d'où il voit D^{re} Roussel charger son sac à dos à l'arrière de l'hélicoptère.

Il lève les yeux vers Grimaud qui dort sur le toit.

— Pssst! fait-il.

La gargouille prend vie en se réveillant.

— Garde la boutique pour moi, Grimaud, chuchote Louka.

Grimaud glisse le long de la descente de gouttière.

— Où s'en va face de poil? murmure-t-il.

— À la montagne Trouée, répond Louka tout bas. C'est toi le chef maintenant.

La gargouille sourit.

— Grimaud le chef!

— Chuttt, fait Louka.

D^{re} Roussel grimpe dans le poste de pilotage. Elle vérifie ensuite les commandes de vol.

Louka constate que la soute à marchandises est ouverte. Puisque personne ne regarde dans sa direction, il se précipite dans la cour avant et saute à l'arrière de l'hélicoptère. Il se réfugie tant bien que mal derrière le tas de matériel.

— Prêt pour le décollage ! annonce D^{re} Roussel.

Louka entend les pas d'Orion qui contourne la maison. Il reste caché derrière l'équipement tandis que le géant dépose une lanterne à l'arrière de l'hélicoptère. La porte glisse et se ferme. Il fait noir comme dans un four à l'intérieur de la soute. Louka allume sa lampe frontale, et la lumière se reflète sur les parois métalliques. Il n'y a pas de hublots. Tout à coup, une étincelle surgit de l'arrière de la veste en cotte de mailles appartenant à Orion. C'est Tiana la fée.

— Tiana ! s'exclame Louka, surpris. Qu'est-ce que tu fais ici ?

La fée voltige dans le rayon de lumière émanant de la lampe frontale. Elle porte une cape rouge bien chaude confectionnée à l'aide d'une feuille de sycomore plissée.

— Tu ne pensais tout de même pas que j'allais te laisser partir en expédition sans moi?

— Mais comment as-tu su que je partais?

Tiana sourit.

— Tu es un loup-garou. Toujours en train de manigancer je ne sais quoi.

Louka entend D^re Roussel crier quelques mots à Orion à l'extérieur. Soudain, le moteur de l'hélicoptère démarre, et Louka entend les pales qui se mettent à tourner. Il sent l'hélicoptère quitter le sol.

— C'est parti, dit-il avec excitation.

Un bruit métallique résonne au moment où Orion accroche son câble de vol à la base de l'hélicoptère, suivi d'une secousse lorsque le géant est soulevé dans les airs.

L'hélicoptère s'élance en avant, emportant Louka loin du pavillon Brizard.

CHAPITRE 7

Debout derrière le bureau à la réception d'un vieil hôtel, le baron Marrakech compte une liasse de billets. Il lève la tête lorsque la porte s'ouvre et qu'une volée de flocons de neige s'engouffre dans le hall. Un homme entre, traînant une valise. Il porte un blouson à motifs de camouflage et un chapeau de cow-boy. Il essuie ses bottes enneigées sur le paillasson.

— Ah, monsieur Armstrong ! dit le baron. Bienvenue à l'auberge de l'Arsenal.

— Salut ! répond l'homme.

— Vous arrivez juste à temps pour la pause-café. Les autres sont déjà là. Si vous voulez bien payer maintenant, je vous ferai ensuite passer de l'autre côté.

— Combien coûte ce truc ? demande l'homme en sortant une grosse pile de billets de banque de sa poche.

Le baron prend *tout* l'argent.

— Ça fera l'affaire, dit-il.

Il appuie sur une petite sonnette qui se trouve sur le bureau, et Brutus s'amène d'un pas lourd dans le hall, coiffé d'un képi.

— Mon porteur va monter vos bagages, monsieur Armstrong, ajoute le baron Marrakech.

Il tend à Brutus une clé accrochée à un porte-clés en forme de pistolet.

— Chambre numéro 5, ajoute le baron.

Il quitte son poste derrière le bureau.

— Venez que je vous présente aux autres, monsieur Armstrong.

Le baron Marrakech conduit l'homme à l'autre bout du hall et pousse les portes à deux battants qui s'ouvrent sur une pièce lambrissée de chêne.

— Puis-je vous offrir à boire ?

— Volontiers, répond M. Armstrong.

Minus s'approche d'un pas traînant avec un plateau, apportant deux tasses de café fumant.

M. Armstrong en prend une et boit lentement, promenant son regard dans la pièce.

Trois hommes et une femme sont assis dans des fauteuils en cuir autour d'une belle flambée dans la cheminée. Ils sont tous vêtus d'une tenue de camou-flage et sirotent du café bien chaud.

— Laisse-nous, Minus, dit le baron Marrakech en prenant l'autre tasse.

Il se poste à côté du foyer, face aux invités.

— Et maintenant, les présentations. Monsieur Armstrong, voici Herr Herman Pinkel.

Un homme au teint rougeaud et au nez bulbeux se lève et serre la main de M. Armstrong.

-Sehr gut. Sehr gut, dit Herr Herman Pinkel.

Le baron désigne un homme de grande taille dont les cheveux luisants sont noués en une queue de cheval.

— Et voici Señor Pedro Pedroso.

L'homme se lève et embrasse M. Armstrong sur les deux joues.

— *Encantado.*

— Je vous présente la charmante Lady Semolina, poursuit le baron.

Une femme à l'air sévère arborant une moustache frisée lui tend la main.

M. Armstrong la prend et y dépose un baiser.

— Enchanté, dit-il. Enfin, je crois.

— Et M. Zachariah D. Biggles.

Un gros homme de race noire portant des lunettes de soleil se lève. M. Armstrong paraît tout petit à côté de lui.

— Appelez-moi Biggy.

— Salut, tout le monde, dit M. Armstrong. Vous pouvez m'appeler Chuck.

— Assoyez-vous, monsieur Armstrong, dit le baron Marrakech.

L'homme s'assoit dans un fauteuil en cuir et allonge les jambes devant le feu.

— Tout d'abord, laissez-moi vous souhaiter la bienvenue à l'auberge de l'Arsenal, déclare le baron. J'ai toujours rêvé de rouvrir ce merveilleux pavillon de chasse. Comme certains d'entre vous le savent peut-être, j'ai la chasse dans le sang.

— Bravo, dit Lady Semolina en tripotant sa moustache.

— Depuis trop longtemps, la chasse aux bêtes a été interdite à cause des bonnes âmes qui la trouvent cruelle, continue le baron.

— À bas les bonnes âmes ! approuve Herr Herman Pinkel avec un fort accent guttural.

— Mais *moi* je dis que chasser les bêtes, c'est ce que les humains font le mieux. C'est aussi naturel que d'allumer des feux ou de déclencher des guerres. Et ce soir, vous aurez la chance de vivre une expérience des plus excitantes grâce au meilleur terrain de chasse jamais construit : le prédatron !

Les invités applaudissent.

— Yiha ! s'écrie Chuck Armstrong.

Le baron Marrakech s'approche d'une grande table recouverte d'un drap blanc.

— Messieurs, Lady Semolina, choisissez votre joujou !

Il retire le drap, et les invités ont le souffle coupé. En dessous se trouvent cinq carabines de chasse avec mire télescopique, deux pistolets dans des étuis de cuir, une arbalète et un arc avec des carquois remplis de flèches, une ceinture en cuir contenant des couteaux, des canons-harpons, des grenades, un lance-flammes et des boîtes de cartouches à pointe en titane.

— *Olé !* fait Pedro Pedroso.

— *Taïaut !* s'exclame Lady Semolina.

— Quand commence-t-on ? demande Chuck Armstrong.

— Chaque chose en son temps, répond le baron Marrakech. Nous avons enfumé la proie, et nous

sommes en train de la préparer. Nous la chasserons ce soir.

Il lève sa tasse.

— Au plaisir de tuer !

Les invités bondissent de leurs sièges, levant leurs tasses à la santé du baron.

— **AU PLAISIR DE TUER !** répètent-ils.

Le petit homme, Minus, entre en traînant les pieds et tire sur le manteau de fourrure du baron.

— Qu'est-ce qu'il y a, espèce d'andouille ? demande le baron Marrakech.

— Il y a un hélicoptère qui approche, m'sieur, dit Minus tout bas.

Il conduit le baron à la fenêtre à l'autre bout de la pièce et essuie le verre embué avec son mouchoir rouge. Le baron scrute le ciel enneigé. Au loin se dresse la silhouette d'une montagne blanche. Un hélicoptère la survole et se prépare à atterrir.

— Eh bien, eh bien, regardez qui arrive, dit le baron Marrakech. Va chercher les véhicules, Minus. Tu sais ce que tu as à faire.

CHAPITRE 8

Les oreilles de Louka se débouchent. L'hélicoptère de la SRPCB est sur le point de se poser.

— Nous allons atterrir, chuchote Louka à Tiana.

Il sent une secousse au moment où Orion lâche le câble, puis il entend un bruit métallique lorsque le géant le décroche de la base de l'hélicoptère. Quelques secondes plus tard, l'hélicoptère touche le sol avec un soubresaut. Le moteur s'arrête et les hélices ralentissent.

— Ne fais pas de bruit, souffle-t-il à Tiana.

De l'extérieur leur parviennent des voix étouffées. D^{re} Roussel et Orion discutent. La porte de la soute s'ouvre en glissant, et Louka sent une bouffée d'air froid pénétrer à l'intérieur. Il entend le vent qui siffle dehors. Il se cache sous une vieille bâche en voyant Orion plonger la main à l'intérieur pour décharger le matériel. Le géant traîne sa veste en cotte de mailles hors de l'hélicoptère.

— Tu veux bien me passer mon sac à dos, s'il te plaît ? demande D^re Roussel. Et je vais avoir besoin de mes bottes.

— Quel est le plan ? demande Orion.

— Nous allons jeter un coup d'œil sous terre, vérifier comment vont les bêtes et voir si nous pouvons trouver ce gobelin.

La porte de la soute se referme en glissant. Orion et D^re Roussel mettent leur équipement et s'éloignent de l'hélicoptère.

— Allons-y, murmure-t-il à Tiana.

Louka repousse la bâche et ouvre doucement la porte. Il plisse les yeux. Dehors, le blizzard fait rage. Des flocons de neige tourbillonnent et tout est d'un blanc étincelant. Ils se trouvent sur une montagne enneigée parsemée de cavernes. Quelque 50 mètres plus loin, D^re Roussel et Orion se dirigent vers une grotte dont l'entrée est entourée de rochers semblables à des dents de dragon. La vétérinaire a son terminal de poche à la main et son sac à dos à l'épaule.

— Prête, Tiana ? demande Louka.

Tiana s'emmitoufle dans sa cape rouge ; seules ses ailes dépassent.

— C'est frisquet, note-t-elle en s'envolant.

Elle frissonne, se faufilant entre les flocons de neige.

Au moment où D^{re} Roussel et Orion entrent dans la caverne, Louka saute à bas de la soute. Ses pieds nus s'enfoncent dans la neige.

— Tu n'auras pas froid ? demande Tiana.

— Ça ira, répond Louka.

Il subira bientôt sa transformation. Son sang se réchauffe, et les poils de ses mains et de ses pieds commencent à s'épaissir. Ce soir, la lune sera pleine et il se changera en loup-garou.

Il enroule la corde d'alpinisme autour de son épaule et avance sur la montagne enneigée en direction de la caverne. Il jette un coup d'œil à l'intérieur avant d'entrer. Au fond, un long tunnel sombre descend en pente douce. Louka y aperçoit Orion et D^{re} Roussel. Le géant s'est baissé, utilisant sa lanterne pour éclairer le passage.

Louka entre à pas de loup et les suit.

— Viens, Tiana, dit-il à voix basse.

La fée vole à côté de lui, scintillant doucement. Ils entendent les gazouillis des créatures souterraines.

De minuscules yeux écarquillés les regardent depuis les crevasses dans les parois rocheuses.

— Des gripouilles, murmure Louka.

Les bêtes semblables à des grenouilles les observent. Louka marche prudemment, le roc étant froid et humide sous ses pieds nus. Devant eux, D^re Roussel et Orion tournent au bout d'un couloir, et la lueur de leur lanterne se dissipe peu à peu.

Dans le noir, Louka entend D^re Roussel qui appelle :

— Boule de gomme, où es-tu ? Nous sommes de la SRPCB-B-B.

Sa voix résonne sous la terre.

— Les gobelins sont probablement en train de voler autre chose, lâche Tiana d'un ton sec.

— Chuttt, fait Louka. Si D^re Roussel découvre que nous sommes là, nous aurons de gros ennuis.

En silence, ils tournent au bout du tunnel, mais ne distinguent aucune lueur émanant de la lanterne d'Orion. Louka allume sa lampe frontale. Il constate que le tunnel se divise en deux passages qui vont dans deux directions différentes.

— De quel côté sont-ils allés ? demande Tiana.

Louka perçoit un bruit provenant de l'un des couloirs. On dirait des pas.

— Par là, indique-t-il en s'enfonçant plus profondément dans la montagne.

Le chemin zigzague et, à mesure qu'ils avancent, les bruits s'intensifient.

— Ce n'est pas un bruit de pas, dit Tiana.

Louka prête l'oreille. On croirait entendre des coups de poignard dans le roc. Il avance sur la pointe des pieds dans l'obscurité ; la lueur de sa lampe frontale éclaire le passage, illuminant une grosse bête aux allures d'insecte qui vient vers eux.

— Oh, oh, fait Louka.

Dans le tunnel se dresse une créature blanche aux longues pattes articulées et aux deux antennes en forme de fouet.

— C'est une mante des cavernes, souffle Louka.

— Sortons d'ici, dit Tiana.

— Ne bouge pas. Ces bêtes sont aveugles. Elle ne peut pas nous voir.

Les paupières de l'animal recouvrent totalement ses yeux. La mante utilise ses antennes pour avancer à tâtons le long du couloir.

Louka presse le dos contre la paroi du tunnel, et Tiana se perche sur sa lampe frontale.

— Arrête de gigoter, chuchote-t-il.

— Je ne gigote pas.

Louka entend quelque chose qui se tortille au-dessus de lui. Un petit lézard se laisse tomber sur son épaule. Il sent sa patte lui chatouiller l'oreille. Louka s'efforce de ne pas bouger.

Il regarde la mante qui approche en agitant ses antennes. La bête s'immobilise à côté de lui. Elle est deux fois plus grande que Louka, et sa peau pâle est si mince qu'il peut voir son cœur qui bat ainsi que son estomac rempli de crapauds et de rats.

Le lézard sur l'épaule de Louka lui lèche la joue en y dardant sa langue fourchue, mais le garçon ne bronche pas. Il retient son souffle et demeure parfaitement immobile.

Les antennes de la mante tâtent la paroi. L'extrémité de l'une d'elles frôle le cou de Louka. Subitement, la bête lève sa patte pareille à un poignard, prête à frapper. Louka reste cloué sur place. Le lézard commence à lui mordiller l'oreille. La mante fait un mouvement brusque en avant, embrochant le lézard contre le roc.

Louka ne bouge pas tandis que la bête gobe le lézard avant de continuer son chemin dans le tunnel. Il expire enfin.

— Il s'en est fallu de peu ! dit-il.

68

Tiana s'envole.

— Pauvre lézard !

Elle s'éloigne dans le tunnel en étincelant.

— Où sont passés D^re Roussel et Orion ?

— Ils sont probablement partis à la recherche du gobelin, répond Louka.

Il fouille dans sa poche et en ressort la carte du professeur Brizard. Il la déplie et, à la lueur de sa lampe frontale, il trace le chemin jusqu'à une petite caverne portant le nom de *grotte de Boule de gomme.*

— De quel côté est-elle située ? demande Tiana.

Louka étudie la carte attentivement.

— Je crois que nous sommes arrivés par ici, dit-il en désignant une entrée aux bords irréguliers.

— Et la grotte est là.

Il déplace son doigt.

— C'est donc en bas, à l'ouest.

Il sort la boussole en argent de sa poche et vérifie quelle direction indique l'aiguille.

— L'ouest est par là, précise-t-il en s'engageant dans un couloir transversal.

Il se retrouve dans une vaste salle souterraine. Au plafond pendent ce qui ressemble à de longues pointes de roc. Il y en a des centaines, tachetées de toutes sortes de couleurs. Elles brillent à la lueur des étincelles de Tiana.

— Elles sont magnifiques, dit la fée en serpentant entre elles.

— Fais attention, ce sont des sangsues-éléphants, prévient Louka.

Les pointes de roc commencent à se plisser et à se balancer comme des trompes d'éléphant ; de longues sangsues dotées de ventouses charnues se trouvent à leur extrémité. Elles tentent d'atteindre Louka et Tiana. L'une d'elles se fixe à l'épaule de Louka.

— Ah, mais non ! proteste-t-il.

Il décolle la ventouse de son t-shirt et écarte la sangsue avant de passer.

— Elles ont soif.

Tiana zigzague nerveusement parmi les sangsues tandis qu'elles ondulent et se tournent vers elle.

— Je crois que ma cape leur plaît bien, dit-elle.

— C'est parce qu'elle est rouge. La couleur du sang.

Tiana pousse un cri et traverse la salle comme une flèche. Louka la suit de près.

— Elles peuvent sucer encore plus de sang qu'un vampire, poursuit-il.

Il avance en écartant avec ses pieds les os et les restes qui jonchent le sol.

À l'autre bout de la salle, il s'engage dans un tunnel.

Il entend un faible écho :

— ... gomme – omme – omme.

— Écoute, c'est D^re Roussel ! dit Louka tout bas.

Sa voix leur parvient des profondeurs du tunnel.

— Boule de gomme, où es-tu – uu – uu ? appelle la vétérinaire.

Louka et Tiana se précipitent en direction du bruit, mais le tunnel est en fait une impasse.

— Où est-elle ? demande Tiana.

— Boule de gomme – omme – omme, entendent-ils de nouveau.

— On dirait qu'elle est ici, derrière, dit Louka en appuyant l'oreille contre la paroi au bout du tunnel.

Celle-ci est chaude et gluante, et couverte d'une couche de mucus. Louka y pose la main et s'aperçoit qu'elle palpite.

— Ce n'est pas une paroi. C'est vivant ! hurle Tiana.

La paroi avance vers eux. Un trou y apparaît, dévoilant une bouche collante. C'est un monstrasticot !

Il prend toute la largeur du tunnel et avance vers eux en se tortillant.

— Pouah ! fait Tiana en reculant vivement.

— N'aie pas peur. Il est tout à fait inoffensif, dit Louka en essuyant sa main visqueuse sur son jean. Les monstrasticots ne se nourrissent que d'excréments de chauves-souris.

Tiana plane devant l'énorme créature.

— Il est répugnant.

— Il va falloir nous faire tout petits et passer à côté.

— Beurk ! dit Tiana.

Elle se réfugie dans la poche du jean de Louka tandis que ce dernier se presse contre la paroi du tunnel.

Le monstrasticot avance en glissant, couvrant Louka d'une substance gluante qui imbibe son t-shirt et dégouline sur son jean. La bête est longue, faisant au moins six mètres. Sa chair collante clapote contre la joue de Louka, l'écrabouillant contre la paroi.

Avec un long bruit de succion, le monstrasticot passe enfin, et Louka retourne derrière lui dans le tunnel maintenant dégagé. Ses cheveux sont plaqués sur son visage. Il secoue la tête et les mains, et la substance visqueuse éclabousse les parois.

Tiana sort de la poche de Louka et remue ses ailes délicates. Elles sont dégoulinantes de mucus. Elle porte la main à sa bouche, prise d'un haut-le-cœur.

— C'était horrible, dit-elle.

Louka essuie sa lampe frontale et regarde au loin dans le tunnel. Toujours aucun signe de la D^re Roussel ou d'Orion.

— Où sont-ils allés ? demande Tiana de nouveau.

— Ils ne doivent pas être loin.

Tiana s'élance en avant, disparaissant dans une ouverture à côté du tunnel.

— Viens voir ça, Louka !

Il court rejoindre la fée qui voltige dans une salle tout en hauteur.

— Il y a des cordes ici, dit-elle.

Tiana étincelle le long d'une corde blanche qui s'étend d'un bout à l'autre de la salle.

— Est-ce que c'est la grotte de Boule de gomme ?

Louka sort la carte du professeur. À la lueur de sa lampe frontale, il trouve *le repaire des sangsues* et suit le trajet dans les tunnels avec son doigt.

— Louka, regarde ça.

Le garçon lève la tête. La fée étincelle devant un hibou mort entortillé dans de la corde blanche. La lampe frontale de Louka éclaire une autre corde tendue verticalement. Ce dernier la suit des yeux jusqu'à son point de départ. La corde est reliée à une autre, et à une autre encore. Des cordes en soie blanche s'entrecroisent, s'étirant jusqu'au plafond. La grotte sombre abrite une énorme toile d'araignée blanche dans laquelle sont emprisonnés des chauves-souris, des goélands des cavernes et des hiboux morts.

Louka examine la carte encore une fois.

— Je ne pense pas que ce soit la grotte de Boule de gomme, déclare-t-il d'un ton nerveux. On dirait plutôt le garde-manger de l'araignée.

Tiana pousse un petit cri.

Louka lève les yeux. Une araignée spectrale, dont les pattes poilues font un mètre de long, descend du plafond sur une corde de soie. Elle répand une lumière blanche en raison de son venin mortel. Elle se laisse tomber au sol en sifflant, et ses mâchoires s'écartent, dévoilant six bouches munies de crocs tranchants comme des rasoirs.

— Cours ! hurle Tiana.

Louka traverse la salle à toute vitesse, grimpant aux cordes tandis que Tiana vole devant lui. Ils sortent de là à toute allure et s'élancent dans un long tunnel. Ils entendent l'araignée qui les poursuit.

Louka court à toutes jambes.

— Dépêche-toi! crie Tiana.

Devant eux, le faisceau de la lampe frontale de Louka éclaire une grande ouverture dans la paroi du tunnel.

— Rentre là-dedans, Tiana! Cache-toi!

— Éteins ta lampe!

Louka s'exécute tandis que la fée éteint ses étincelles pour ne pas que l'araignée les voie. Ils plongent dans le grand passage. C'est l'obscurité totale.

— Tiana? murmure Louka.

— Je suis juste là.

Louka sent ses ailes lui effleurer la joue. Il s'accroupit, écoutant l'araignée qui remonte le tunnel. C'est à peine s'il arrive à distinguer sa silhouette blanche incandescente lorsqu'elle passe en toute hâte.

— Ouf! fait Tiana.

Au même moment, Louka entend l'araignée qui s'arrête. Le silence règne durant un instant.

Tap-tap-tap-tap. Tap-tap-tap-tap. L'araignée a rebroussé chemin dans le tunnel.

Une patte poilue pénètre dans l'ouverture.

— Aïe, aïe, aïe, dit Louka tout bas.

L'araignée siffle. C'est alors qu'un terrible grondement retentit derrière eux. L'araignée bat aussitôt en retraite et s'éloigne rapidement dans le tunnel.

— Nous sommes hors de danger, soupire Tiana.

— Quel était ce bruit ? demande Louka.

Derrière eux, dans le noir, un autre grommellement se fait entendre, suivi d'un reniflement.

— Ça pue ici, se plaint Tiana.

Louka renifle à son tour. En effet, ça pue la crotte et la viande pourrie. Il allume sa lampe frontale et Tiana ravive ses étincelles.

Ils sont accroupis dans une vaste salle souterraine, plus grande qu'une étable et deux fois plus haute. **Tout autour d'eux, écarquillant les yeux dans l'ombre, se tiennent d'immenses trolls verts.**

CHAPITRE 9

— Cours ! crie Tiana.

Louka bondit sur ses pieds, mais la sortie est bloquée par un énorme troll mâle. D'autres encore arrivent de tous côtés.

— Nous sommes pris au piège, Tiana.

Ils sont entourés par une vingtaine de trolls, les plus gros que Louka ait jamais vus ; ceux-ci ont le menton poilu et de longues défenses qui partent de leurs lèvres inférieures.

— Ils ont l'air affamés, note Tiana.

Les trolls avancent petit à petit, bavant et salivant, traînant leurs jointures sur le sol.

Certains se mettent à gronder. D'autres se redressent et se frappent la poitrine.

— Ouh ! Ouh ! Ouh !

Tout autour de Louka et Tiana, les trolls s'approchent. L'un d'eux fait un mouvement brusque vers la fée, donnant un grand coup de son imposante main griffue. Tiana l'esquive promptement.

Louka entend un grognement derrière lui. Il virevolte et voit un troll venir vers lui d'un pas lourd, ses immenses défenses prêtes à attaquer. La lampe frontale de Louka illumine le visage du troll, et celui-ci s'arrête, levant le bras pour se protéger les yeux.

— Ils n'aiment pas la lumière, constate Louka.

Il tourne vivement la tête de façon à éblouir les trolls les uns après les autres. Tiana se met à voler en tournoyant autour de lui, brillant de tous ses feux pour tenter d'éloigner les trolls. Mais chaque fois qu'un troll recule, un autre avance.

— Ouh ! Ouh ! Ouh ! Ouh !

Leurs mentons dégoulinent de salive.

— Au secours ! hurle Tiana. Ils vont nous manger !

À cet instant, Louka entend des pas pesants qui résonnent. Il regarde en direction d'un des tunnels qui débouchent sur la salle et aperçoit une lanterne.

C'est Orion ! Le géant s'amène vers eux en courant.

— Orion ! Par ici ! indique Louka.

78

Orion le géant fait irruption dans la salle des trolls, sa lanterne à la main.

Les trolls se retournent et grondent.

— À l'aide ! crie Tiana en s'envolant encore plus haut.

— Par ici ! répète Louka derrière les trolls.

— Louka ! Tiana ! C'est vous ? demande Orion en regardant par-dessus la tête des trolls. Qu'est-ce que vous faites ici ?

L'un des trolls fonce vers le géant. Ses défenses heurtent bruyamment la veste en cotte de mailles d'Orion. Le géant reste bien campé sur ses jambes, et le troll charge à nouveau. Orion agrippe l'une de ses défenses et repousse le troll.

Ce dernier est féroce et robuste, mais il ne fait pas le poids face à Orion.

Le géant laisse partir le troll, puis il augmente le gaz de sa lanterne. La lumière devient plus vive, et tous les trolls se mettent à reculer.

— Ce sont des beautés, n'est-ce pas ? demande Orion qui pénètre plus loin dans la salle en balançant sa lanterne. C'est ça. On recule, dit-il posément aux trolls.

Louka les regarde regagner les bords de la salle.

— Je ne souhaite à personne de se retrouver entre les mains de trolls affamés, ajoute le géant.

Louka entend d'autres pas au moment où D^re Roussel accourt dans le tunnel, munie d'une lampe de poche. Elle s'arrête dans l'entrée de la salle.

— Louka ? Tiana ?

Elle avance d'un air furieux.

— Vous allez avoir des ennuis, chuchote Orion.

Il continue de balancer sa lanterne pour tenir les trolls à l'écart.

— Mais que diable fabriquez-vous ici ? demande D^re Roussel.

— C'est ma faute, docteure Roussel, répond Louka. Je voulais participer à l'expédition.

— Mais comment êtes-vous venus ?

— On est montés à l'arrière de l'hélicoptère.

D^re Roussel dévisage Louka, incrédule.

— Ce n'est pas prudent pour toi de venir ici.

Elle éclaire les trolls avec sa lampe de poche. Ceux-ci grognent et grondent toujours.

— Désolé, docteure Roussel, dit Louka en baissant la tête.

La vétérinaire se tourne vers la petite fée.

— Et toi, Tiana, tu devrais être plus raisonnable.

Tiana rougit d'embarras.

— Navrée, docteure Roussel.

Louka fixe le sol tout noir. Il se penche et passe sa main sur le plancher de la salle. Sa paume est couverte de poussière noire.

— Docteure Roussel, regardez, dit Louka en lui montrant sa main.

La vétérinaire la frotte.

— C'est de la suie.

Elle promène son regard sur la salle. À la lueur de la lanterne d'Orion, les parois paraissent noires aussi.

— Qu'est-ce qui s'est passé ici ? demande-t-elle.

Elle examine les trolls attentivement, prenant soin de ne pas braquer sa lampe de poche en direction de leurs yeux. Certains d'entre eux ont la peau noircie. Une femelle adulte gratte son ventre couvert de suie. Un vieux troll ridé aux défenses brisées mâchonne un os noir de suie. Un mâle s'occupe d'une femelle, s'efforçant de nettoyer la suie qui lui couvre le dos.

— Pourquoi sont-ils noirs de suie ? murmure Louka.

D^{re} Roussel marche très lentement en direction des trolls.

— Je ne sais pas. C'est étrange.

Orion élève sa lanterne pour la protéger. Louka et Tiana les suivent.

Tandis que les **trolls** s'éloignent de la lumière, Louka aperçoit par **terre** un gros mâle couché sur le côté. Une femelle est penchée sur lui et lui lèche la peau.

— Ce gros-là n'a pas bonne mine, fait remarquer Tiana en voletant près de Louka.

Celui-ci fait un pas vers le troll.

La femelle se retourne et gronde.

— Attention, prévient Orion.

Il balance sa lanterne d'un côté et de l'autre, et la femelle recule.

— C'est ça, ma belle. Donne-nous un peu d'espace.

D^{re} Roussel s'avance vers le gros mâle qui repose sur le sol.

— Orion, monte la garde s'il te plaît. Il faut que je l'examine.

Pendant que le géant se tient debout au-dessus du troll, sa lanterne à la main, D^{re} Roussel s'agenouille à côté de lui. Le troll ne bouge pas.

— Est-ce qu'il est vivant ? demande Louka.

Tiana se perche sur l'épaule du troll.

— Il est encore chaud.

— Aide-moi à le retourner, Louka, dit D^re Roussel.

Tous deux agrippent les défenses du troll et tirent, le faisant rouler sur le dos.

La vétérinaire s'approche de la bouche du troll et prête l'oreille.

— C'est tout juste s'il respire.

Elle soulève les paupières ridées de la créature. Ses yeux sont vitreux.

— Il est à peine conscient.

Le troll tousse, et des sécrétions noires éclaboussent son menton poilu.

D^re Roussel dépose son sac à dos et en retire un paquet de ouate. Elle essuie le mucus noir sur les lèvres du troll. À deux mains, elle parvient à lui ouvrir la bouche et l'éclaire avec sa lampe de poche.

— Pouah ! fait Tiana en sentant l'haleine du troll.

Louka renifle. Ça pue.

Il fixe les dents du troll. Elles sont de travers et ébréchées, et des petits morceaux de viande et de fourrure sont coincés entre elles. Sa langue est épaisse et crevassée. Sa bouche en entier est noire de suie.

— On dirait qu'il a inhalé de la fumée, beaucoup de fumée, dit D^re Roussel.

— De la fumée? répète Louka.

— Regarde comme sa gorge est enflée.

Louka regarde au fond de la bouche du troll. L'ouverture de sa trachée est rétrécie, et sa respiration paraît pénible.

Le troll grogne, et d'autres sécrétions noires s'écoulent de son nez.

D^re Roussel tend la ouate à Louka.

— Nettoie ça pendant que je vérifie ses poumons.

Le garçon essuie le nez du troll. Il glisse un doigt dans ses narines pour tenter de dégager ses voies respiratoires. Les poils de nez du troll lui piquent la peau tandis qu'il retire le mucus noir.

D^re Roussel pose son stéthoscope sur la poitrine du troll et écoute.

— Ses poumons semblent bloqués.

Le troll tousse. En essayant d'inspirer, il s'étouffe.

— Qu'est-ce qui se passe? demande Louka.

La respiration du troll devient sifflante, puis s'interrompt carrément.

— C'est un arrêt respiratoire! signale D^re Roussel.

Le troll est immobile, comme mort.

La vétérinaire tâte son poignet à la recherche d'un pouls.

— Son cœur s'est arrêté. Écarte-toi, Louka.

Ce dernier recule et regarde D^re Roussel placer ses deux mains au centre de la large poitrine verte du troll. Les doigts entrelacés et les bras tendus, elle appuie fermement, encore et encore.

— Qu'est-ce que vous faites? demande Louka.

— De la réanimation cardio-respiratoire, explique D^re Roussel. RCR. Il faut faire repartir son cœur et rétablir sa respiration.

Elle place vite sa main sous le menton poilu du troll et incline sa tête vers l'arrière pour ouvrir sa trachée. De ses deux mains, elle lui couvre ensuite le nez et inspire profondément.

Puis, se penchant en avant, elle ouvre la bouche et la presse sur les lèvres caoutchouteuses de la créature.

— Beurk! lâche Tiana en détournant les yeux. Elle embrasse le troll!

D^re Roussel souffle dans la bouche du troll à intervalles réguliers.

— C'est pour l'aider à respirer, explique Louka.

La vétérinaire se redresse et comprime la poitrine du troll à nouveau. Celle-ci ne se soulève toujours pas. D^re Roussel prend une grande respiration et

pose sa bouche sur celle de la bête pour y insuffler de l'air.

— Allez, troll. Tu peux y arriver, dit Louka.

D^{re} Roussel souffle une autre fois dans la bouche du troll.

Soudain, celui-ci se met à tousser, et son corps se convulse.

La vétérinaire relève la tête et s'essuie les lèvres.

Le troll tousse toujours, éclaboussant ses défenses d'épais mucus noir. Il secoue la tête. Il respire !

D^{re} Roussel s'empare d'une fiole et d'une seringue dans son sac. Rapidement, elle donne à son patient une injection d'adrénaline.

Le troll grogne et lèche ses défenses, puis se met à quatre pattes.

— Écartez-vous, tout le monde, ordonne D^{re} Roussel.

Blottis les uns contre les autres sous la lanterne d'Orion, ils s'éloignent tous du troll mal en point. Pendant ce temps, le troll femelle se rapproche du mâle d'un pas pesant.

Les deux bêtes grognent tandis que leurs défenses se frôlent.

— D'après vous, qu'est-ce qui lui est arrivé ? demande Louka.

D^{re} Roussel regarde autour d'elle.

— Il y a eu un feu ici, déclare-t-elle.

— Un feu ? Sous la terre ?

Orion se penche en avant, les sourcils froncés à la lumière de sa lanterne.

— Un feu, ça ne s'allume pas tout seul.

* * *

Alors que la neige tombe sur la montagne Trouée, un fourgon à bestiaux et un camion-citerne serpentent sur le chemin glacé. Ils s'immobilisent tout près du sommet, là où la voie s'arrête.

La portière du camion-citerne s'ouvre, et Brutus descend dans la neige. Il entreprend de dérouler un long tuyau logé dans un compartiment sur le côté du véhicule.

Minus descend du fourgon à bestiaux, sa carabine à l'épaule. Il jette un coup d'œil à l'hélicoptère de la SRPCB garé sur la montagne.

— Occupe-toi de ça, Brutus.

Le gros homme avance péniblement dans la neige jusqu'à l'hélicoptère et courbe les pales à l'aide d'un crochet en métal.

Minus grimpe tant bien que mal jusqu'au trou huileux tout en haut de la montagne.

— Ce sera la fin de la SRPCB, ricane-t-il en essuyant son nez qui coule avec un mouchoir rouge crasseux.

Brutus le rejoint en traînant le tuyau relié au camion-citerne.

— C'est toujours moi qui dois faire le gros travail, ronchonne-t-il.

Minus saisit sa carabine.

— Tu es le gars de l'huile, j'suis le tireur. Si t'as un problème avec ça, parles-en au baron.

Brutus glisse le tuyau dans le trou et active le pistolet de distribution. Un gargouillement se fait entendre lorsque l'huile noire et visqueuse jaillit à son extrémité avant de s'écouler dans la montagne.

Minus sort une boîte d'allumettes de sa poche.

— Le moment est venu de les réchauffer un peu.

CHAPITRE 10

D^{re} Roussel éclaire les trolls avec sa lampe de poche.

— Pas d'autres blessures graves, annonce-t-elle.

Louka est à côté d'elle. Il sent une goutte lui tomber sur la tête et lève les yeux. Une autre goutte tombe, puis une autre encore. Tout autour, des gouttes s'écrasent sur le plancher de la salle des trolls. C'est comme s'il commençait à pleuvoir au cœur même de la montagne. Louka passe une main dans ses cheveux. Ses doigts sont maculés de liquide noir.

— Qu'est-ce qui se passe ?

D^{re} Roussel braque sa lampe de poche sur le plafond de la salle.

— On dirait de l'huile.

Louka entend le liquide ruisseler sur les parois.

— D'où vient-elle ? demande Orion.

Les trolls commencent à se frapper la poitrine.

— Ouh ! Ouh ! Ouh ! Ouh !

Certains tapent du poing sur les parois.

Alors que l'huile coule de plus belle du plafond de la salle, Tiana se précipite dans la poche de Louka pour se protéger.

Tout à coup, un rugissement s'élève au moment où l'huile prend feu. Des flammes lèchent le plafond et descendent le long des parois.

— Abritez-vous ! hurle Orion.

Il étreint D^{re} Roussel et Louka pour les protéger alors que l'huile enflammée éclabousse le sol.

Les trolls se ruent vers les différentes issues.

La salle se remplit d'une épaisse fumée noire qui pique les yeux de Louka et le prend à la gorge. Il remonte son t-shirt pour s'en couvrir la bouche.

— Sortez ! dit Orion. Je me charge des trolls.

Louka essaie de courir, mais il y voit à peine dans la fumée opaque. Il tousse et suffoque. Le feu fait rage autour de lui. Les trolls passent à côté de lui avec fracas, le bousculant en tentant de s'enfuir.

— Louka ! Par ici !

Il aperçoit le faisceau de la lampe de poche de la vétérinaire et avance en titubant dans cette direction.

Mais à cet instant, un rideau de flammes tombe devant lui. Il se protège le visage du feu.

— Je n'y arrive pas !

La chaleur le force à reculer.

Un troll lui rentre dedans, et Louka tombe par terre.

— Debout, Louka ! supplie Tiana dans sa poche.

Le garçon se relève péniblement et se dirige en chancelant vers le fond de la salle en flammes, suivant un groupe de trolls qui foncent vers une sortie étroite. Il a perdu la trace d'Orion et de la D^{re} Roussel

— Il faut qu'on sorte d'ici, gémit Tiana. Cours !

Louka remonte un tunnel en courant aussi vite que possible, trébuchant et glissant sur les rochers. Il entend une explosion et se retourne au moment où la salle s'embrase, formant une boule de feu derrière lui.

Il est alors projeté dans les airs et retombe avec un bruit sourd, sa tête heurtant violemment la paroi du tunnel. Sa lampe frontale se fracasse.

— Louka, est-ce que ça va ? demande une voix dans sa poche.

Mais tout se voile autour de lui. Il s'est blessé en se frappant la tête. Il se sent étourdi.

C'est alors qu'il sent une main maigre lui agripper la cheville. On le traîne sur le plancher du tunnel jusque dans une caverne sombre et fraîche. Louka entend qu'on roule une grosse pierre devant l'entrée pour empêcher la fumée d'y pénétrer.

Il sent qu'il va perdre connaissance. Tiana quitte sa poche et, à la lueur de ses étincelles, c'est tout juste s'il distingue la figure d'une bête aux yeux blancs, aux oreilles pointues et au museau aplati.

Un gobelin est penché sur lui.

— Boule de gomme ! parvient à prononcer Louka.

Puis tout devient noir.

CHAPITRE 11

Louka ouvre les yeux. Il est allongé sur le dos et fixe le plafond d'une caverne. Il renifle. Ça sent le moisi. Il porte la main à sa tête. Il a une grosse bosse sur le crâne.

— Donne-moi ça ! entend-il.

Louka s'assoit et tousse. Il a un goût de fumée dans la bouche. Au fond de la caverne, il repère l'étincelle de Tiana qui tournoie frénétiquement au-dessus de Boule de gomme. Le gobelin se tient dans l'ombre, serrant la lampe brisée de Louka entre ses mains noueuses.

— À moi maintenant, dit le gobelin. Mon trésor.

— Elle n'est pas à toi, proteste Tiana d'un ton indigné.

Elle tire la courroie de la lampe frontale de toutes ses forces.

— Elle est à Louka.

— Tiana, qu'est-ce qui se passe ? demande Louka.

La fée se tourne vers lui.

— Louka, tu es revenu à toi ! Tu es resté inconscient pendant des heures.

Au même moment, le gobelin arrache la courroie de la lampe des mains de Tiana.

— Pas de chance, petite fée. Mon trésor maintenant.

Louka regarde autour de lui. Il se trouve dans la grotte de Boule de gomme. Grâce aux étincelles de Tiana, il peut apercevoir les objets brillants éparpillés un peu partout sur des saillies dans les parois : boîtes de conserve, couronnes de bouchons et pièces de monnaie.

— Laisse-la-lui, Tiana. Elle est brisée, de toute façon, dit Louka.

— Mais c'est un voleur ! réplique la fée.

— Il nous a sauvé la vie.

— Il voulait seulement avoir ta lampe.

Le gobelin presse la lampe frontale contre sa poitrine et commence à la polir.

— Mon beau trésor, marmonne-t-il.

— Tu n'es qu'une bête égoïste, lui dit Tiana.

Le gobelin lance un regard à Louka et lui décoche un grand sourire. Ses dents sont noires et cassées, son visage est sale et de fins poils gris poussent sur sa peau ridée.

— Nous te cherchions, Boule de gomme, dit Louka. Nous avons reçu ton message.

— Quel message ?

— Ta chauve-souris messagère. Elle est arrivée hier.

Le petit gobelin sourit.

— Ma chauve-souris va bien ?

— Elle est à la SRPCB.

Le sourire du gobelin se fige, et celui-ci se met à trembler.

— Je n'ai pas envoyé la chauve-souris messagère.

Il recule dans l'ombre, serrant fort la lampe frontale.

— C'est *lui* qui l'a fait.

— *Lui ?* répète Louka, perplexe.

Boule de gomme dépose la lampe frontale sur une saillie dans la paroi, puis entreprend de replacer toute sa collection d'objets brillants.

Tiana vole jusqu'à lui et envoie une boîte de conserve par terre d'un coup de pied.

— Gobelin, qu'est-ce que tu racontes ?

Le petit gobelin ramasse la boîte et commence à la polir.

— Qui a envoyé la chauve-souris messagère, Boule de gomme ? demande Louka.

La main du gobelin tremble tandis qu'il frotte la boîte.

— Méchant homme. Méchant homme a pris ma chauve-souris.

— Quel méchant homme ? demande Tiana.

Le gobelin lève sa main tremblante et baisse le petit doigt.

— Méchant homme à qui il manque un doigt.

Louka et Tiana sont estomaqués.

— Marrakech ! s'exclame le garçon.

— Marrakech est *ici* ? hurle Tiana.

— Quand as-tu vu cet homme, Boule de gomme ? demande Louka.

— Hier. Là-bas.

Boule de gomme désigne le plafond.

Louka lève les yeux et découvre un trou. Il s'avance vers la paroi et grimpe, passant la tête dans le trou. Il sent de l'air froid sur son visage.

— Viens, Tiana.

Louka se faufile dans le trou et se hisse dans un long passage escarpé, s'agrippant aux parois rocheuses.

— Où vas-tu, Louka ? s'inquiète Tiana en volant derrière lui.

— Il faut prévenir D^re Roussel.

Il grimpe toujours plus haut jusqu'au moment où il aperçoit une couche de neige au-dessus de lui. Il la défonce avec sa tête et se retrouve à la lumière du jour. Il est au sommet de la montagne Trouée. Le blizzard a cessé et le ciel s'éclaircit.

Louka sort du trou et voit des trolls gisant par terre. Tiana le rejoint.

— Qu'est-ce qui s'est passé ? demande-t-elle.

Louka se précipite vers un des trolls et découvre une flèche plantée dans son bras. La bête ronfle.

— On leur a injecté un tranquillisant, constate Louka, troublé.

Il remarque des empreintes de bottes dans la neige là où des humains ont marché. Il les suit jusqu'à un trou noir et huileux. Une boîte d'allumettes se trouve par terre. Louka la ramasse.

— Ce feu a été allumé intentionnellement ! dit-il.

Au même instant, Boule de gomme sort la tête de son trou.

— Méchant homme a enfumé les trolls, affirme le petit gobelin. Il a emmené les plus jeunes.

— Louka, regarde !

Tiana voltige au-dessus d'un sac à dos à moitié enseveli sous la neige. C'est celui de la D^re Roussel. La lanterne d'Orion se trouve sur le sol non loin de là, fracassée. Louka court dans cette direction. Il aperçoit un cratère de la taille du géant dans la neige, ainsi qu'une longue tranchée qui s'étend jusqu'à un chemin glacé, comme si Orion avait été traîné par terre. Il y a des traces de pneus sur le chemin qui mène au pied de la montagne. Louka jette un coup d'œil vers l'hélicoptère de la SRPCB. Ses pales ont été courbées.

— **TIANA, C'EST UN PIÈGE !** C'est Marrakech qui a envoyé ce message. Et maintenant, il a capturé D^re Roussel et Orion !

— Capturé ? demande la fée. Où ça ?

Louka se tourne vers le petit gobelin.

— Boule de gomme, as-tu vu où le méchant homme est allé ?

— Endroit très dangereux, marmonne Boule de gomme.

Le gobelin s'approche rapidement et tapote la boîte d'allumettes dans la main de Louka. Ce dernier observe la boîte. On y voit la photo d'un bâtiment en bois. *Auberge de l'Arsenal,* lit-il.

Boule de gomme court précipitamment jusqu'au bord de la montagne.

— Où vas-tu? crie Louka en s'élançant derrière lui.

Mais il s'arrête subitement devant la pente escarpée.

Le gobelin indique l'extrémité d'une longue vallée au nord. Au loin, Louka distingue à peine un édifice en bois au pied d'une colline. Un mince filet de fumée s'échappe de la cheminée...

* * *

Dans le salon des chasseurs, à l'auberge de l'Arsenal, le baron Marrakech se tient debout devant le foyer; une bûche crépite derrière lui tandis qu'il finit de raconter une histoire.

— Et c'est ainsi que j'ai tué mon premier troll, conclut-il en souriant.

Les invités applaudissent.

— Impressionnant! dit Chuck Armstrong.

— Racontez-nous une autre histoire, supplie Lady Semolina.

Le baron Marrakech va chercher un gros album de photos en cuir dans une vitrine ménagée d'un côté de la pièce.

— Vous allez apprécier, dit-il en le déposant sur une table basse devant ses invités.

Ceux-ci feuillettent l'album une page à la fois, les yeux agrandis d'excitation.

— C'était le bon temps, soupire le baron Marrakech. Ah, comme j'aurais voulu vivre à cette époque !

L'album est rempli de photos en noir et blanc de chasseurs de bêtes, chacun exhibant fièrement la tête d'un animal mort fixée à une plaque.

— Voilà ce que j'appelle chasser, dit Herr Herman Pinkel avec un accent allemand.

— Ces gars-là étaient de vrais experts, ajoute Chuck Armstrong.

— De grands hommes, tous sans exception, approuve le baron. De *vrais* hommes.

Il adresse un clin d'œil à Lady Semolina. Celle-ci glousse et lisse sa moustache.

Tout à coup, la porte s'ouvre. Le baron se retourne au moment où Minus entre.

— Qu'est-ce qu'il y a, Minus ? Tu ne vois donc pas que je divertis ces gens avec mes récits ?

— C'est fait, m'sieur, annonce Minus.

— Splendide, dit le baron en reconduisant le petit homme dans le hall.

Il ferme la porte derrière lui.

— Étaient-ils tous là ?

— Non, m'sieur. Juste la vétérinaire et le géant.

— Tu en es certain ?

— Oui, m'sieur.

— Oh, quel dommage ! fait le baron en soupirant. J'avais espéré que le loup-garou viendrait aussi. C'est la pleine lune ce soir. Je voulais avoir la tête de cette bête à mon mur.

Minus éternue, puis s'essuie le nez avec son mouchoir rouge crasseux.

— Qu'est-ce qu'on doit faire des prisonniers ? Est-ce qu'on les tue maintenant ?

— Pas encore, répond le baron. J'ai des projets pour eux. On va bien s'amuser ce soir !

CHAPITRE 12

— Viens, Louka. Il faut aller à l'auberge de l'Arsenal, dit Tiana en s'élançant au-dessus du long chemin sinueux qui mène au bas de la montagne.

Louka déplie la carte du professeur Brizard.

— Attends une minute.

Sur la carte apparaît un long puits qui descend en spirale au centre de la montagne. *Le tire-bouchon*, lit-il.

— Il y a un moyen plus rapide.

Louka sort la boussole en argent de sa poche.

Le gobelin tend le bras et la touche.

— Trésor.

Tiana revient aussitôt vers eux.

— Tu ne l'auras pas, Boule de gomme, déclare-t-elle.

— Désolé, mais j'en ai besoin, dit Louka en vérifiant dans quelle direction pointe l'aiguille de la boussole.

Il regarde le petit gobelin. Les yeux de Boule de gomme sont rivés sur le boîtier en argent brillant.

— Merci pour ton aide, ajoute Louka. Mais j'ai bien peur que nous devions partir maintenant.

Il se retourne et s'éloigne en courant dans la neige à la recherche d'une caverne de forme carrée.

— Par ici, Tiana !

La fée vole dans sa direction et le suit aussitôt dans la caverne. Ses étincelles illuminent les parois.

Louka s'oriente en se basant sur la carte du professeur. Il se faufile dans des passages étroits et se glisse dans des ouvertures. De temps à autre, il entend un bruit de petits pas derrière lui.

Boule de gomme les a suivis.

— Qu'est-ce qu'il fait ? demande Louka.

— Il veut ta boussole, répond Tiana.

— Peut-être qu'il veut simplement nous aider.

Louka s'arrête et jette un regard furtif derrière lui dans le tunnel. Le gobelin se réfugie aussitôt derrière un rocher.

— Boule de gomme ! crie le garçon. Ça va. Tu peux venir avec nous.

Boule de gomme reste caché.

— Les gobelins sont tellement sournois, dit Tiana. Allez, laissons-le.

Louka pivote et poursuit son chemin dans le tunnel. Il se dirige vers une salle ronde aux parois humides. Au centre se trouve un grand trou dans le plancher. L'eau s'y écoule doucement.

— Tu es sûr que c'est le bon chemin ? demande Tiana.

— C'est ce que dit la carte du professeur.

Louka regarde dans le trou qui plonge dans les ténèbres. Il ramasse un caillou et le laisse tomber. Il l'entend heurter le roc et compte jusqu'à 20 tandis que le son diminue peu à peu.

— C'est sûrement le tire-bouchon.

— Ça semble profond, souligne Tiana. Tu es certain que ce n'est pas dangereux ?

— Il faut nous dépêcher, se contente de répondre Louka.

Il remet la carte et la boussole dans ses poches, puis s'assoit sur le bord du trou.

— On se revoit en bas.

Les pieds devant, il se jette dans le vide et descend comme une flèche, glissant contre les parois mouillées de l'étroit puits. L'eau frise dans ses yeux et sa bouche, et un rugissement résonne dans ses oreilles à mesure qu'il prend de la vitesse. C'est l'obscurité totale dans le puits qui tourne et tourne comme un tire-bouchon. Louka file de plus en plus vite au cœur de la montagne.

Soudain, il a l'impression que les parois disparaissent. Il flotte maintenant dans les airs. Plus bas, il entend le grondement de l'eau qui déferle. Il tombe avec un gros plouf, plongeant dans la rivière souterraine glacée. Louka coule, culbutant et tournoyant. Il agite les jambes et remonte à la surface en nageant.

— Est-ce que ça va ?

Il lève la tête. Tiana arrive vers lui en trombe, ses étincelles illuminant l'eau. Louka inspire brusquement. Le courant l'entraîne. Sa carte est emportée elle aussi, alors que la corde à son épaule a commencé à se dérouler. Il en saisit l'extrémité.

— Par ici, Louka ! indique Tiana en volant vers une rive rocailleuse en bordure de la rivière. Louka gigote frénétiquement, nageant de toutes ses forces tout en luttant contre le courant. Il parvient à agripper les rochers et se hisse hors de l'eau. Derrière lui, il entend un bruit d'éclaboussement.

— Qu'est-ce que c'était ? demande-t-il.

Tiana survole la rivière. Grâce à sa lumière, Louka aperçoit deux oreilles pointues à la surface de l'eau.

— Oh non, c'est Boule de gomme ! s'écrie Tiana.

Le petit gobelin a peine à garder la tête hors de l'eau et agite les bras.

— Au secours !

Il est entraîné par le courant.

En aval, une rangée de nageoires jaunes apparaît à la surface de l'eau. Horrifié, Louka regarde émerger l'immense tête d'un serpent-sabre.

— Boule de gomme, nage ! lance-t-il.

Tiana vole au-dessus du petit gobelin.

— Boule de gomme, allez nage, espèce d'idiot ! hurle-t-elle. Tu vas te faire dévorer !

Le courant entraîne le gobelin vers le serpent.

— Boule de gomme, attention ! crie Louka.

Le serpent ouvre les mâchoires, ses crocs luisant comme des sabres.

Rapidement, Louka forme un nœud dans sa corde pour en faire un lasso. Il le fait tourner au-dessus de sa tête et le lance. Le serpent attaque. Le lasso s'enroule autour de Boule de gomme, et Louka le tire vers lui. Les mâchoires du serpent se referment brusquement, ratant le gobelin de justesse. Louka tire sur la corde aussi vite qu'il le peut, traînant Boule de gomme dans l'eau. Le serpent-sabre bat de la queue et le suit. Il siffle tandis que Louka hisse le gobelin sur les rochers, puis il donne un coup de tête sur la rive avant de disparaître sous l'eau. Trempé, Boule de gomme repose sur les rochers, crachotant.

— Est-ce que ça va ? lui demande Louka.

— Ce que tu peux être bête ! dit Tiana en les rejoignant précipitamment. Tu aurais pu mourir.

De l'eau jaillit de la bouche du gobelin.

— Boule de gomme veut venir aussi, bredouille-t-il.

Louka sourit et prend sa boussole pour tenter de trouver dans quelle direction aller maintenant.

Boule de gomme tend sa main décharnée.

— Donne, dit-il à Louka.

Tiana tape les doigts du gobelin.

— Espèce de créature ingrate, le sermonne-t-elle. Tu ne peux donc penser à rien d'autre qu'à cette stupide boussole ? Louka vient de te sauver la vie.

Boule de gomme retire lentement sa main.

— Venez, dit Louka en remettant la boussole en sécurité dans sa poche. Nous ne sommes plus loin maintenant.

CHAPITRE 13

Minus et Brutus s'affairent dans les cachots sous l'auberge de l'Arsenal.

Brutus, le gros homme, marche le long d'une rangée de cages, lançant des seaux d'eau à travers les barreaux.

Dans chaque cage, un troll se réveille et gronde.

Minus plonge la main dans une caisse en bois et en sort un steak bien épais.

— C'est l'heure du dîner, annonce-t-il en le balançant devant les cages.

Les trolls avancent d'un pas lourd, cognant leurs défenses contre les barreaux de métal. Ils grognent et tentent de saisir la viande.

— Ils ont faim, note Brutus avec un grand sourire.

Les trolls salivent.

Minus agite le steak juste devant leurs yeux.

— De la belle viande juteuse !

Les trolls secouent les barreaux des cages, reniflant et bavant.

— Mais vous n'en aurez pas.

Minus retire brusquement la viande. Brutus rit.

— Ils meurent de faim.

— C'est comme ça que le baron les veut, fait remarquer Minus.

Minus sort une longue aiguille à coudre et une pelote de ficelle de la poche de son veston. Il prend de nombreux autres steaks dans la caisse, s'assoit par terre et entreprend de les coudre ensemble.

— Qu'est-ce que tu fais ? demande Brutus.

— Tu vas voir.

Tandis que Minus coud, les trolls frappent les barreaux avec leurs défenses. Ils l'observent en gémissant, affamés.

Brutus s'empare du plus gros, du plus juteux steak qu'il puisse trouver.

— Je peux en manger un ? demande-t-il.

— Non ! répond Minus. Pose ça là.

Après avoir cousu tous les steaks qu'il y avait dans la caisse, il obtient une véritable couverture de viande.

— À quoi ça va servir ? demande Brutus.

111

— Ça fait partie du plan du baron.

Minus apporte la couverture de viande à l'extérieur des cachots et s'engage dans un passage voûté, puis dans un corridor. Les murs sont ornés de flambeaux qui éclairent des portes des deux côtés. Brutus regarde Minus transporter la couverture de viande et franchir une porte sur laquelle est inscrit : **SALLE DES APPÂTS**. Lorsqu'il en ressort un moment plus tard, il affiche un grand sourire. Il s'essuie les mains sur son pantalon.

— Qu'est-ce que tu en as fait ? demande Brutus.

— C'est une surprise, répond Minus en se tapotant le côté du nez. Tu vas devoir patienter.

Le petit homme se poste devant la porte d'en face sur laquelle on peut lire : **ATELIER DE TRANS-FORMATION DES TROPHÉES**.

— Viens. C'est le moment de graisser la guillotine.

Les deux hommes entrent dans la pièce. Au centre trône une sorte de grand machin. C'est la guillotine, un instrument utilisé pour trancher la tête des bêtes chassées dans le but d'en faire des trophées. Il s'agit d'un gros banc en métal muni de chaînes, et de deux montants d'acier à une extrémité. Une grande lame se trouve entre les deux montants.

Des rats courent ici et là dans la pièce, reniflant un panier sur le plancher au bout de la guillotine.

Distribuant les coups de pied, Minus se fraye un passage parmi les rats et grimpe sur le banc.

— Va chercher la graisse.

Brutus prend une poignée de graisse à même une cuve placée dans un coin de la pièce. Il étend la substance sur toute la hauteur des montants de métal.

— Voyons ce que ça donne, dit Minus.

Le petit homme sort un steak bien épais de sa poche et le tend à Brutus.

— Mets ça sous la lame.

Il tire sur la corde d'un côté de la guillotine, et la grande lame commence à monter.

Brutus dépose la viande au bout du banc.

Les rats se mettent à sauter pour tenter d'en grignoter un bout.

Minus fredonne :

— **Tu es le graisseur. Graisse, graisse, graisse. Je suis le coupeur. Coupe, coupe, coupe.**

Il lâche la corde, et la lame de métal descend entre les deux montants. Elle s'abat sur la viande avec un bruit sourd, la tranchant en deux. Un gros morceau de steak sanguinolent tombe dans le panier posé par terre. Les rats s'y précipitent, grimpant dans le panier pour engloutir la viande.

— Minus ! Brutus ! Où êtes-vous ?

Des pas s'approchent dans le corridor. La porte s'ouvre, et le baron Marrakech entre. Il aperçoit la viande dans le panier.

— Ne jouez pas avec la guillotine ! beugle-t-il. Nous voulons qu'elle soit bien aiguisée pour tout à l'heure, après la chasse. Nous ferons des trophées avec les têtes de trolls.

Minus saute à bas du banc.

— Désolé, baron.

Un rat grimpe le long de sa jambe de pantalon.

— Le géant et la vétérinaire sont-ils en lieu sûr ? demande Marrakech.

— Oui, baron, répond Minus en sautillant et en se tortillant.

Il se secoue la jambe.

— Dans ce cas, le temps est venu de préparer le prédatron. Je veux que tous les appareils soient vérifiés.

Minus pousse un petit cri lorsque le rat le mordille.

— Et arrêtez vos bêtises !

CHAPITRE 14

Alors que le bruit de la rivière s'affaiblit derrière eux, Louka et Tiana s'engagent dans un étroit passage. Ils aboutissent à une impasse.

— Nous sommes perdus, constate Tiana.

Louka sort sa boussole pour vérifier sa position.

Boule de gomme s'approche à pas feutrés.

— Boule de gomme peut aider, propose timidement le gobelin.

Il tend le bras et tapote la paroi de ses jointures noueuses. Cette dernière semble faite de métal.

Louka pousse contre la paroi, et une feuille de tôle ondulée et rouillée plie vers l'extérieur.

— Merci, Boule de gomme, dit-il en se baissant pour pénétrer dans l'ouverture.

Il surgit dans un large tunnel éclairé par une rangée d'ampoules électriques.

Tiana vole derrière lui.

— Qu'est-ce que c'est que cet endroit ? demande-t-elle.

La rangée d'ampoules s'étire dans les deux directions, et une voie ferrée court sur le sol. Le tunnel est en fer rouillé. Des échelles sont fixées aux murs, montant et descendant vers des trappes.

Boule de gomme se précipite auprès de Louka.

— Dangereux ici, marmonne-t-il.

— Qu'est-ce que tu veux dire ?

— Professeur fermé cet endroit il y a longtemps.

— Professeur Brizard ?

Boule de gomme avance dans la lumière.

— Professeur ami. Professeur m'a fait guetteur, déclare-t-il fièrement.

— Je me demande bien pourquoi, dit Tiana entre ses dents.

Elle s'envole dans le tunnel.

Le petit gobelin regarde Louka, son large sourire dévoilant ses dents cassées.

— Boule de gomme bon guetteur. Je vois tout.

Les yeux du gobelin se posent sur la boussole de Louka, qui la remet dans sa poche.

— Louka, regarde ça ! s'exclame Tiana.

117

Le garçon court voir ce qui se passe. La fée plane au-dessus d'un drôle de truc qui repose sur un support en fer forgé. On dirait une énorme boîte en métal et un gros tube qui dépasse. La boîte est dotée d'un mécanisme à ressorts, de courroies en caoutchouc et d'engrenages fraîchement graissés. Louka aperçoit de grosses boules noires à l'intérieur de la boîte, ainsi qu'une manette sur le côté. On peut lire sur un panneau : ***INSTACOLLEUR***.

— Qu'est-ce que c'est, Boule de gomme ? demande Louka.

Il se retourne et surprend le gobelin qui s'approchait sans bruit, la main tendue vers la poche de Louka.

Boule de gomme retire vivement sa main et commence à ronger ses ongles sales.

— Des chasseurs ont construit les machines, dit-il.

Il désigne une trappe fermée avec un verrou dans le mur.

— Ils chassaient les bêtes là-bas.

Louka fait glisser le verrou et ouvre la trappe. La lumière du jour entre à flots, et une vaste vallée enneigée s'étend devant ses yeux. Au milieu, un grand poteau en métal est planté dans le sol. Un gros boulet est pendu à une chaîne au sommet du poteau.

Plus bas dans la vallée, Louka distingue le long bras d'une grue. Il est recouvert de neige fraîche, et un gros grappin se trouve à son extrémité.

Par terre, près de la grue, Louka remarque que la neige bouge. Une trappe s'ouvre, et un gros homme à la barbe épaisse en sort, portant un pot et une pelle. Derrière lui surgit un petit homme qui se tamponne le nez avec un mouchoir rouge.

— Regarde, dit Louka.

Ce sont les hommes du baron.

— Qu'est-ce qu'ils font? demande Tiana en se posant sur l'épaule de Louka.

Le gros homme commence à pelleter la neige à la base de la grue. Tandis qu'il s'affaire, Louka entend un bruit métallique. C'est comme si le sol sous la neige était également en métal.

Tout près, le petit homme enfonce un bâton dans la neige à plusieurs reprises, jusqu'à ce qu'un grand disque métallique s'élève brusquement sur un ressort.

— Brutus, en voilà un !

Le gros homme s'amène avec le pot en se traînant les pieds. Il y plonge la main, prenant une grosse poignée de graisse. Il l'applique sur le ressort et repousse le disque sous la neige.

Louka scrute la vallée. Des tuyaux en métal dépassent de la couche de neige. Sur les côtés de la vallée, il repère des balcons et des projecteurs. La vallée a été entièrement façonnée par l'homme.

— Je n'aime pas ce que je vois, Tiana, dit Louka en refermant la trappe. Nous devrions nous dépêcher.

Il poursuit son chemin dans le tunnel, Tiana à ses trousses. À côté des rails, il découvre une voiturette à quatre roues qui s'est renversée et la retourne.

— Qu'est-ce que tu fais ? demande la fée.

La voiturette est dotée d'un siège en bois et de pédales au plancher. Louka la soulève, la dépose sur les rails et s'y assoit.

— Nous irons plus vite avec ça.

Il commence à pédaler, et la voiturette se met à avancer. Tiana se perche devant, se cramponnant solidement à mesure qu'ils gagnent de la vitesse.

Boule de gomme s'amène en courant derrière eux.

— Oh non, tu viens aussi, Boule de gomme ? demande Tiana.

Le gobelin les rejoint et saute derrière Louka.

— Boule de gomme est passager, dit-il.

Le tunnel s'élargit peu à peu. Au-dessus d'eux, Louka remarque d'immenses pistons en fer qui s'étirent d'un mur à l'autre. Tout en pédalant, il passe devant un panneau portant l'inscription : **LE BROYEUR.**

La voie serpente entre des poutres, des câbles et des tuyaux. C'est comme s'ils se trouvaient à l'intérieur du mécanisme d'une gigantesque machine. Louka pédale de plus belle. Devant eux, la voie se divise en deux. Une branche continue tout droit ; l'autre tourne à gauche et descend. La voiturette vire à gauche.

Tiana pousse un hurlement tandis qu'ils descendent à toute vitesse.

Louka soulève les pieds. Les pédales tournent toutes seules.

— Voilà qui est mieux ! approuve-t-il.

Tiana s'accroche au devant de la voiturette pour ne pas s'envoler.

— Nous descendons sous la vallée, dit Louka.

La voie descend en zigzag, et la voiturette roule à vive allure entre des dizaines de colonnes en métal.

121

Celles-ci s'élèvent du plancher jusqu'au plafond. Louka aperçoit d'autres voies qui plongent dans l'obscurité lorsqu'ils passent en flèche devant un panneau annonçant : **LA FORÊT DE LA PEUR**. Au-dessus de lui, à travers des grilles métalliques, il voit de la neige.

La voie serpente, puis remonte en tournant. Louka pédale pour gravir la pente au son des roues qui grincent. Une fois au sommet, la voiturette fait une embardée en s'engageant dans un virage serré, et Louka lit **L'ÉTANG DES NOYÉS** sur un panneau.

Boule de gomme se lève et se penche en avant.

— Loup-garou sait pédaler.

— Assois-toi, ordonne Louka. Tu vas tomber.

Boule de gomme chancelle et tombe sur Louka.

— Oups, fait le gobelin en souriant.

Il se rassoit au moment où la voie redevient droite.

Ils passent devant des étagères chargées de grosses pierres alignées au-dessus d'une goulotte en métal. Cette dernière débouche sur la vallée. **JEU DE QUILLES**, peut-on lire sur un autre panneau.

— Louka, regarde devant ! dit Tiana en montrant les rails.

La voie se termine là. Des voiturettes à pédales vides sont garées en cercle. Plus loin se trouve une grande porte en bois.

Boule de gomme tire une manette d'un côté de la voiturette, et celle-ci s'immobilise en grinçant. Il saute sur le sol et se réfugie derrière les voiturettes à pédales.

— Auberge de l'Arsenal derrière cette porte, déclare-t-il. Bonne chance.

Il cache quelque chose dans ses mains.

— Attends, qu'est-ce que tu tiens là? demande Tiana d'un ton soupçonneux.

Elle vole jusqu'à lui.

Le petit gobelin serre fort la boussole de Louka.

— Hé! Rends-lui ça, espèce d'ordure! proteste Tiana.

— À moi maintenant, dit Boule de gomme. Mon trésor.

— Voleur! s'indigne la fée. Louka, il t'a fait les poches!

Boule de gomme plaque la boussole contre sa poitrine.

Louka descend de la voiturette.

— C'est d'accord, Boule de gomme, tu peux la garder maintenant.

— La garder ? répète le gobelin.

— Oui.

Boule de gomme s'avance, tout sourire.

— Ami, dit-il en tendant sa main osseuse.

Louka la serre. La main de Boule de gomme lui paraît froide et fragile.

— Merci de nous avoir aidés à venir jusqu'ici, dit-il.

Tiana étincelle furieusement.

— Mais il te l'a volée, Louka !

— On n'en a plus besoin. Viens, il est temps d'aller sauver D^re Roussel et Orion.

Il passe devant les voiturettes et continue son chemin jusqu'à la porte en bois, puis il jette un regard par-dessus son épaule.

— Boule de gomme, est-ce que tu viens aussi ?

Le petit gobelin frotte la boussole argentée pour la faire briller.

— Non. Je monte la garde, marmonne-t-il en se retirant dans l'ombre.

— Oh, bien sûr, dit Tiana en se perchant sur l'épaule de Louka. Il va filer dès que nous serons entrés. Il n'est venu que pour ta boussole.

Les yeux blancs du gobelin clignent dans l'obscurité. Louka sourit et pousse la lourde porte en bois.

Il se retrouve dans un couloir en pierre. Il regarde la rangée de flambeaux qui éclairent les murs. De l'autre côté d'un passage voûté au bout du couloir lui parvient une voix :

— **ET C'EST CE QUE VOUS CHASSEREZ !**

C'est celle du baron Marrakech…

CHAPITRE 15

Louka avance à pas de loup dans le couloir à la lueur des flambeaux, passant devant des portes où l'on peut lire les inscriptions suivantes : **ATELIER DE TRANS-FORMATION DES TROPHÉES, SALLE DES APPÂTS** et **ARMURERIE**. Il s'arrête devant le passage voûté, caché dans la pénombre. Tiana vole à côté de lui et plane au-dessus de trois leviers qui dépassent du mur.

Ils regardent à l'intérieur de ce qui ressemble à des cachots. Debout à moins de dix mètres d'eux, leur tournant le dos, se tient le baron Marrakech. Il porte un manteau de fourrure et des bottes en peau de serpent. Cinq personnes en tenue de camouflage se trouvent avec lui.

— Des chasseurs, murmure Louka.

Ils font face à une rangée de cages. Dans chacune d'elles, un gros troll vert renifle et grogne.

— Comme vous le voyez, explique le baron Marrakech, nous n'avons réuni que les plus beaux spécimens. Chacun d'entre eux est jeune et sans tache. Leurs têtes auront fière allure exposées aux murs de vos résidences.

Le baron guide les chasseurs le long de la rangée de cages.

— Quand pourrons-nous les tuer ? demande un homme au visage rouge avec un accent allemand prononcé.

— Encore un peu de patience, Herr Pinkel. Dans quelques instants seulement, je relâcherai ces bêtes sur notre magnifique terrain de chasse, où vous pourrez les poursuivre avec des armes de votre choix.

— Nous ne serons pas en danger ? demande un homme avec une queue de cheval.

— Bien sûr que non, Señor Pedroso. Je peux vous assurer que ces bêtes n'ont pas la moindre chance de vous échapper. Tout a été soigneusement conçu pour favoriser le chasseur.

Au même moment, Louka entend un fracas venant du couloir. Une voiturette vient de s'arrêter dans le tunnel.

— Vite, Louka, cache-toi, chuchote Tiana.

Sans bruit, il se glisse dans les cachots, se faufilant derrière une grosse caisse en bois d'où émane une odeur de viande.

Tiana se pose sur son épaule. Risquant un regard de leur poste à côté de la caisse, ils voient les hommes du baron franchir le passage voûté.

Marrakech se tourne vers ceux-ci.

— Il était temps. Est-ce que les machines sont prêtes ?

— Toutes huilées et graissées, m'sieur, répond Minus.

— Merveilleux !

Le baron se retourne pour faire face aux chasseurs et sourit.

— Puisque c'est aujourd'hui qu'a lieu notre soirée d'ouverture, je vous ai préparé un petit extra, un prix spécial qui fera un heureux parmi vous.

Le baron marche à grandes enjambées devant les cages. Au bout de la rangée, la dernière est drapée d'un filet de camouflage. Marrakech le retire.

— Imaginez cette grosse tête sur votre mur !

Les chasseurs ont le souffle coupé.

— Un géant ! s'exclame un gros homme à la peau noire portant des lunettes de soleil.

— Et pas n'importe quel géant, monsieur Biggles. Celui de la SRPCB ! précise le baron.

Louka aperçoit Orion qui repose sur le plancher de la cage, inconscient.

Brutus s'approche avec un seau d'eau et le lance sur le géant.

Orion ouvre les yeux et s'assoit lentement.

— Qu'est-ce qui se passe ? arrive-t-il à articuler en grognant.

— Bienvenue à l'auberge de l'Arsenal, dit le baron entre les barreaux.

Orion se lève, courbant le dos. Il est trop gros pour la cage. Il considère les trolls dans les cages près de lui.

— Qu'est-ce qu'ils font ici ?

— La même chose que vous, monsieur Orion, répond le baron. Ils se préparent à mourir.

Les chasseurs rient.

Un homme portant un chapeau de cow-boy pointe le doigt comme s'il s'agissait d'un fusil.

— Pan ! Pan ! Je vais l'avoir, ce géant !

— Ce serait difficile de le rater, monsieur Armstrong, fait remarquer le baron.

Orion secoue les barreaux de sa cage.

— Où est D^{re} Roussel ? demande-t-il.

Marrakech lui adresse un grand sourire.

— Oh, à propos… Minus, va chercher l'appât !

Le petit homme quitte la pièce et, un instant plus tard, Louka entend un moteur démarrer. Lorsqu'il repasse dans le passage voûté, il a enfourché une moto noire ; il traîne D^{re} Roussel au bout d'une corde sur le sol en pierre.

— Qu'est-ce qu'il lui a fait ? souffle Tiana d'un ton horrifié.

La vétérinaire a les mains et les pieds ligotés ; on l'a bâillonnée avec un mouchoir rouge crasseux et enveloppée d'une couverture de steaks bien épais.

Les trolls se mettent à grogner et à saliver en sentant l'odeur de la viande. Ils cognent leurs défenses contre les barreaux.

Le baron Marrakech rit.

— Oh, j'aime bien votre tenue, docteure Roussel, dit-il en poussant l'un des steaks du bout du doigt.

— Je vais t'écrabouiller, Marrakech, gronde Orion dans sa cage.

Le baron virevolte.

— Ce sont des menaces en l'air, étant donné les circonstances, monsieur Orion.

Il se tourne vers les chasseurs.

— S'il vous plaît, veuillez manifester votre appréciation à la D^re Roussel, la vétérinaire de la SRPCB.

— Houuuuh! font les chasseurs.

— Ce soir, elle sera notre appât. Nous l'utiliserons pour attirer les trolls.

D^re Roussel se tortille par terre, prisonnière de la couverture de viande et incapable de se lever.

Le baron lève la main droite.

— Mort à la SRPCB!

Les chasseurs lèvent la main droite et plient le petit doigt.

— Mort à la SRPCB!

Louka serre le poing.

— Louka, ne fais pas de bêtises, dit Tiana pour le mettre en garde.

— Chers invités, le moment est venu de commencer la chasse!

Le garçon bondit par-dessus la caisse.

— Arrêtez! hurle-t-il, plongeant et renversant le baron Marrakech.

— Loup-garou! s'écrie le baron. Qu'est-ce que tu...

Louka lui donne un coup de poing sur le nez.

— Aïe ! Brutus, débarrasse-moi de cette bête !

Louka sent une paire de mains robustes l'empoigner. Le gros homme le jette au sol, le maintenant immobile avec sa botte.

— Eh bien, eh bien, dit le baron Marrakech qui se lève en se frottant le nez. Finalement, tu as décidé de te joindre à nous, loup-garou.

De nouveau, il se tourne vers les chasseurs.

— Je déteste les loups-garous, ajoute-t-il.

Une femme à moustache baisse la tête pour examiner Louka.

— Pouvons-nous le chasser ?

— Pas celui-là, Lady Semolina, répond le baron. Cette bête est à moi.

Louka se débat sous la botte de Brutus, qui appuie fort contre sa poitrine. Il a du mal à respirer.

— Laissez-le tranquille ou je vous arrache les bras ! tonne Orion entre les barreaux de sa cage.

Marrakech rit.

— Non, vous ne ferez pas ça, monsieur Orion. Vous irez plutôt dans le prédatron où vous serez tué comme toute autre bête. Chasseurs, allez chercher vos armes ! **BRUTUS, AMÈNE LE LOUP-GAROU DANS L'ATELIER DE TRANSFORMATION !**

CHAPITRE 16

Se démenant et martelant le gros homme de ses poings, Louka est emmené dans le couloir en pierre vers une salle qui grouille de rats.

— Mets-le sur la guillotine, ordonne le baron.

Brutus laisse tomber Louka sur un grand machin au milieu de la pièce.

— Sur le dos, précise Marrakech.

Brutus retourne Louka et le presse contre un banc. Louka lui griffe le bras.

— Aïe ! Arrête de gigoter, espèce d'idiot.

— Attache-le, dit le baron Marrakech.

Il se tient au bout du banc et tire une corde.

Brutus pousse la tête de Louka de sorte qu'elle dépasse dans le vide, puis il entreprend de l'attacher avec des chaînes.

Louka regarde en haut.

À mesure que le baron tire la corde, une grande lame monte au-dessus du cou de Louka.

— Jamais on ne vous laissera faire ça, dit le garçon.

— Oh, mais si, rétorque le baron avec un large sourire. La SRPCB est perdue.

Brutus serre fermement les chaînes autour des jambes et des bras de Louka.

— Je peux y aller ? demande le gros homme.

— Pas encore, répond le baron Marrakech. Je veux sa tête de bête.

La lame est suspendue au-dessus de Louka, prête à tomber. Le baron attache la corde à un crochet dans le plancher, puis il s'avance et lève le bras pour atteindre le haut du mur et ouvrir une trappe en métal. Un vent froid s'engouffre à l'intérieur, et Louka entrevoit le ciel. Le soir tombe.

— La lune se lèvera bientôt, dit le baron en vérifiant les chaînes de Louka. Remets-en d'autres, Brutus. Je ne veux pas qu'il arrive à se libérer quand il se transformera.

Brutus enroule d'autres chaînes autour de Louka et attache leurs extrémités avec un cadenas. Il retire la clé de la serrure et la remet au baron.

135

— Magnifique, dit Marrakech en glissant la clé dans la poche de son manteau de fourrure.

Louka essaie de bouger les bras et les jambes, mais il n'y arrive pas.

— Inutile de te débattre, loup-garou, ajoute le baron. Tu ne t'en sortiras pas vivant.

Louka tourne la tête et aperçoit un panier par terre, au bout du banc. Il est envahi par les rats.

Le baron tâtonne dans le panier et en sort un morceau de viande mâchouillé.

— Venez finir votre souper, petits rats.

Il glisse le morceau de viande tout le long de la corde qui retient la lame de la guillotine.

Louka voit les rats se précipiter sur la corde et commencer à la mâchonner.

— Profite bien de ta transformation, loup-garou. Ce sera ta dernière, déclare le baron.

Il frotte le moignon à la place du petit doigt de sa main droite.

— Tu as déjà gâché mes plans une fois de trop. Mais bientôt, je serai débarrassé de toi. Le pavillon Brizard sera à moi.

— Le pavillon Brizard appartient à la SRPCB, dit Louka. Le professeur n'a jamais voulu qu'il soit à vous.

Le baron se dirige vers la porte.

— Mon père a trahi le nom des Brizard, lance-t-il d'un ton hargneux. Viens, Brutus. C'est l'heure d'aller chasser.

Louka regarde la lame, puis les rats qui grignotent la corde.

— Laissez-moi sortir ! crie-t-il en se tortillant.

Alors qu'il s'apprête à quitter la pièce en compagnie de Brutus, le baron jette un regard par-dessus son épaule.

— Allons, allons, loup-garou. Essaie de ne pas perdre la tête.

Il lui décoche un grand sourire avant de claquer la porte derrière lui.

* * *

— Brutus, actionne les machines ! ordonne aussitôt Marrakech.

Le gros homme s'éloigne dans le couloir en direction des voiturettes.

Le baron marche jusqu'au passage voûté. Il se tient à côté de trois leviers au mur et regarde dans les cachots.

Minus fait ronfler le moteur de sa moto. Les trolls poussent des grognements et, à travers les barreaux, ils tentent d'agripper D^re Roussel dans la couverture de viande. Les chasseurs attendent avec leurs armes : pistolets et carabines, arcs et flèches, couteaux et fusils à harpon.

Chuck Armstrong fait tourner un pistolet sur son doigt.

— Que la fête commence ! dit-il.

— Messieurs, Lady Semolina, si vous voulez bien m'accompagner derrière la porte de sécurité…

Les invités sortent en file dans le couloir, et le baron tire un levier au mur. Une grille s'abaisse dans le passage voûté, bloquant l'accès aux cachots. Les chasseurs regardent à travers les barreaux.

— Minus, prépare-toi à partir avec l'appât !

De nouveau, le petit homme emballe son moteur. Il tourne la moto de façon à faire face au fond des cachots ; le baron actionne alors le second levier, et le mur du fond commence à s'élever, dévoilant la vallée enneigée à l'extérieur. Celle-ci s'étend devant les cachots. La neige paraît rouge sang dans le soleil couchant. Des projecteurs s'allument dans la vallée, éclairant des machines et d'autres engins bizarres sur chaque versant.

— Voici le prédatron! déclare le baron. Le terrain de chasse le plus excitant connu de l'homme.

Minus accélère sur sa moto, traînant D^{re} Roussel sur la neige dans la couverture de viande.

Le baron Marrakech tire un troisième levier, et les portes des cages s'ouvrent brusquement. Les trolls sortent d'un bond et foncent à quatre pattes dans le prédatron, suivant l'odeur de la viande.

Orion foudroie le baron du regard.

— Vous me le paierez, dit-il.

— Ne feriez-vous pas mieux d'aller sauver votre chère D^{re} Roussel des griffes des trolls? demande le baron en ricanant. Courez, monsieur Orion, courez!

Le baron affiche un grand sourire tandis qu'Orion le menace du poing, puis il sort à grandes enjambées dans la vallée.

— Chasseurs, montez dans vos véhicules! dit Marrakech.

Il pivote et conduit ses invités dans le couloir, puis de l'autre côté de la grosse porte en bois.

Chaque chasseur grimpe dans une voiturette à pédales, une arme à la main.

140

— Allons chasser ces bêtes ! lance le baron.

Alors qu'il est sur le point de s'installer dans une voiturette, le baron sent qu'on tire sur son manteau. Il en relève le pan et s'assoit avant de s'éloigner dans le tunnel en pédalant.

— Yiha ! s'écrie Chuck Armstrong d'un ton excité.

Lady Semolina souffle bruyamment dans un cor de chasse.

Le baron se frotte les mains.

— **PREMIER ARRÊT : LE JEU DE QUILLES !**

CHAPITRE 17

Louka est couché sous le couperet de la guillotine, se démenant pour se libérer de ses chaînes. Il jette un regard en haut vers la lame, puis de côté vers les rats qui mâchonnent la corde tachée de sang de bœuf. Par la trappe ouverte, il peut voir le ciel qui s'assombrit. La pleine lune se lèvera d'un instant à l'autre.

Une traînée d'étincelles jaillit dans l'ouverture. C'est Tiana !

— Louka ! Ils ont emmené D^re Roussel dans le prédatron. Ils chassent Orion et les trolls. Nous devons faire quelque chose !

— Je ne peux pas bouger ! crie Louka.

Tiana vole jusqu'à la lame de la guillotine.

— Oh mon Dieu !

— Vite, arrête les rats ! dit Louka.

La fée aperçoit les rats qui grignotent la corde. Elle descend et en frappe un sur le museau avec son pied. Le rat tente de mordre son pied minuscule, mais elle l'écarte vivement. Elle saisit la queue du rat et la tire dans l'espoir de lui faire lâcher la corde, mais le rat lui donne un coup de queue qui la projette violemment à l'autre bout de la pièce, sur le plancher. La fée se relève et s'envole de nouveau. Les rats montent et descendent le long de la corde, la rongeant et la mâchonnant. Tiana les attaque en faisant jaillir ses étincelles, et les rats s'enfuient en couinant. Mais ils rebroussent chemin et reviennent aussitôt.

— C'est peine perdue, Louka, dit Tiana en tirant les moustaches d'un rat. Je ne parviens pas à les arrêter !

La corde s'effiloche dangereusement à l'endroit où les rats la grignotent.

Louka fixe la lame de la guillotine.

— Tu dois essayer. Je ne peux pas bouger.

Il se tortille, mais les chaînes sont trop serrées.

— Je suis coincé, dit-il en jetant un coup d'œil au cadenas.

Tiana tente de chasser les rats à coups de pied et de poing, mais ils rongent la corde sans relâche.

— Il y en a des centaines ! hurle-t-elle.

La corde craque ; elle est sur le point de se casser.

Juste à ce moment, la porte s'ouvre, et apparaît une tête avec de grands yeux blancs, des oreilles pointues et un museau aplati.

— Boule de gomme ! s'exclame Louka.

Le petit gobelin entre en trottinant.

— Oh, il ne manquait plus que ça ! gémit Tiana en tirant l'oreille d'un rat.

Le gobelin tend sa main maigre.

— Trésor, dit-il en souriant.

Il a la clé du cadenas !

— Où as-tu trouvé ça ? demande Louka.

— Je l'ai volé au méchant, répond fièrement Boule de gomme.

La lame ne tient plus qu'à un fil.

— Vite ! fait Louka.

Boule de gomme glisse la clé dans le cadenas.

— Ami, dit-il en la tournant.

Au même moment, une lumière argentée pénètre dans la pièce. Louka regarde en haut vers la trappe ouverte. Il peut voir la lune à l'extérieur. Un éclair d'argent traverse ses yeux, et il sent craquer les os de sa poitrine. Son squelette se réorganise. Des poils noirs poussent partout sur son corps. Une queue épaisse apparaît à la base de sa colonne vertébrale. Ses ongles se changent en griffes. Ses muscles gonflent. Des crocs lui percent les gencives. Il se défait de ses chaînes et bondit en avant à l'instant même où un rat coupe le dernier brin de la corde. La lame de la guillotine glisse le long des montants de bois, heurtant le sol avec un bruit sourd.

Louka lève les yeux et hurle à la lune.

— Boule de gomme, tu as réussi ! s'écrie Tiana en volant vers lui. Tu as sauvé Louka !

Elle plante un baiser sur le gros museau du gobelin.

— Désolée de ne pas avoir été sympa avec toi.

Boule de gomme rougit.

— Il faut aller sauver les autres maintenant, gronde Louka.

Il saute en l'air et se faufile tant bien que mal dans la trappe.

— Vas-y, loup-garou ! Vas-y ! crie le petit gobelin.

Louka s'élance dans le prédatron.

CHAPITRE 18

Au clair de lune, très loin devant, les trolls marchent pesamment dans le prédatron. Des projecteurs brillent sur les pentes abruptes qui bordent la vallée, leurs faisceaux s'entrecroisant sur le sol enneigé.

Maintenant que Louka est devenu loup, ses sens sont bien aiguisés. Il peut sentir la peur des trolls. Il entend la voix du baron Marrakech : « Que la chasse commence ! »

Louka bondit à quatre pattes, suivant la trace de la viande dans la neige là où D^{re} Roussel a été traînée par la moto.

— Sois prudent ! s'écrie Tiana derrière lui.

Louka scrute les versants de la vallée. Il repère Marrakech tout en haut, debout près d'une trappe, un porte-voix devant la bouche.

— Brutus, montre-nous les bêtes !

Un projecteur pivote d'un côté de la vallée, son rayon balayant la zone où se trouvent les trolls. Louka aperçoit Orion qui les rejoint rapidement.

— Lâchez les pierres! crie le baron. Renversez-les comme des quilles!

Louka entend un bruit métallique ainsi qu'un grincement de leviers. Une grande goulotte en métal pointe vers la vallée et se déplace pour mieux viser les trolls. Une pierre dévale la goulotte et roule dans la vallée dans un grondement de tonnerre. Elle descend à toute vitesse sur le sol telle une énorme boule de quilles, ratant les trolls de justesse.

— Brutus! Envoie plus de pierres! aboie le baron.

La goulotte se déplace de côté pour ajuster le tir. Une deuxième pierre descend en roulant, et Orion court protéger les trolls. Le géant se plante devant eux et fait dévier la pierre d'un coup de poing. Une troisième pierre s'amène aussitôt derrière. Orion l'attrape et la lance d'un côté de la vallée. Il en bloque ensuite une autre avec son épaule. Les pierres n'en finissent plus de dévaler la pente. Orion tente de les arrêter, mais il y en a trop. L'une d'elles frappe un troll et le renverse.

— Un troll est tombé! jubile le baron Marrakech. Soyez prêts à faire feu!

Louka se met à courir en direction du troll tandis que Tiana file comme une flèche à côté de lui. Il remarque cinq trappes ouvertes dans le versant. Les cinq chasseurs apparaissent, chacun armé d'un fusil. Le projecteur éclaire le troll.

— Feu! ordonne Marrakech.

Des coups de fusils retentissent et des balles sifflent dans la vallée.

— **ET C'EN EST FAIT DU TROLL!** s'exclame le baron.

Les chasseurs poussent des cris de joie.

Le troll se redresse alors en secouant la tête.

— Il est toujours vivant! Vous l'avez manqué! râle Marrakech. Chasseurs, rechargez!

Ceux-ci visent le troll au moment où il se relève.

— Feu!

Tandis que d'autres coups de feu éclatent, Louka voit Orion se jeter devant le troll. Les balles frappent la poitrine d'Orion avec un bruit étouffé, et le géant s'écroule.

— Et c'en est fait du géant! déclare le baron en riant.

149

— Yiha ! Je l'ai eu !

— Beau travail, monsieur Armstrong, approuve le baron. Chasseurs, remontez dans vos voiturettes. Le prochain arrêt : l'étang des noyés !

Les trappes se referment et le projecteur pivote, dirigeant son faisceau en haut de la vallée.

Louka court vers Orion. Le géant gît sur le sol. Sa chemise est criblée de trous de balle.

— Il est mort, Louka ! dit Tiana.

Lentement, Orion se redresse. Il glisse sa main à l'intérieur de sa chemise et en sort une balle. Il fait un clin d'œil à Louka et sourit.

— Heureusement que j'ai apporté ma veste en cotte de mailles.

Tiana se blottit contre l'oreille d'Orion.

— Dieu merci, tu n'as rien.

Louka sourit à son tour, dévoilant ses crocs. Puis il lève la tête vers les trolls qui reniflent le sol, plus haut dans le prédatron

— Venez, dit-il. Ils sont en danger.

CHAPITRE 19

Louka essaie de rattraper les trolls qui approchent d'une grande étendue d'eau couvrant toute la largeur de la vallée. La trace sanguinolente laissée par la couverture de viande entourant D^re Roussel mène à un pont en métal rouillé.

— D^re Roussel est allée dans cette direction, dit Louka à Tiana en indiquant l'autre rive.

Il dépasse les trolls en bondissant et saute sur le pont. Lorsqu'il regarde en bas, il aperçoit la pleine lune qui se reflète au-dessous de lui. Le pont se met soudain à trembler, et Louka se retourne. Les trolls l'ont suivi.

— Louka, attention ! s'écrie Tiana en volant au-dessus de lui.

Elle pointe du doigt l'autre extrémité du pont. Le baron Marrakech se tient debout sur la berge.

Louka gronde et s'élance vers lui.

— Qu'est-ce que tu fais ici, loup-garou ? Tu es censé être mort ! dit Marrakech.

Il porte le mégaphone à sa bouche.

— Chasseurs, nous avons une nouvelle bête dans le prédatron ! Un sale petit loup-garou !

Le baron tire un long levier à l'extrémité du pont.

Louka sent le pont céder sous lui. Il tente d'agripper le garde-fou, mais sans succès. Il tombe dans l'eau froide en faisant une grande gerbe. Il remue les pattes et la queue pour mieux nager. Il entend des flocs et des grognements. Les trolls sont dans l'eau derrière lui et se débattent.

— Ils se noient ! crie Tiana en les survolant.

— Visez les trolls ! hurle Marrakech.

Sa voix résonne dans la vallée.

— Et le loup-garou !

Sur le versant gauche de la vallée, les chasseurs sortent sur un balcon en métal.

— À vos harpons ! lance le baron.

Les chasseurs braquent tous un fusil à harpon.

— Feu !

Cinq harpons fendent l'air et s'abattent sur l'eau. Un troll pousse un cri perçant.

— Bien joué, Herr Pinkel ! s'exclame le baron.

Louka se retourne et nage vers le troll. Un harpon est planté dans le bras de la bête. Louka l'enlève et tire le troll dans l'eau.

Le baron observe la scène de la rive.

— Comment oses-tu, loup-garou ? rugit-il. Tu gâches notre plaisir !

Tandis que Louka pousse le troll vers la rive, le baron grimpe dans une trappe et disparaît.

Le troll se lève lentement, et Louka sort de l'eau à son tour.

Au même moment, il entend un énorme bruit d'éclaboussement derrière lui. Il virevolte et aperçoit Orion. Le géant est si grand qu'il peut marcher dans l'eau. Il pousse quatre autres trolls vers le bord, deux avec chaque bras.

— Reste là, Louka. Aide-les à sortir.

Orion soulève un troll hors de l'eau, et Louka prend la bête par le bras.

— Rechargez et tirez de nouveau ! entend-il.

Il regarde en haut vers le versant où Marrakech a rejoint les chasseurs sur le balcon.

— Visez le géant ! ordonne le baron.

— Je m'occupe d'eux, dit Tiana.

Elle s'envole en flèche au-dessus de l'eau et le long du versant jusqu'à Lady Semolina. Elle fait jaillir des étincelles au visage de la femme. Elle se dirige ensuite vers Pedro Pedroso et lui donne un coup de pied sur le nez avant de frapper Herman Pinkel dans l'œil. L'un après l'autre, les cinq chasseurs quittent le balcon à reculons, empruntant une porte dans le flanc de la vallée.

— Revenez! fulmine le baron Marrakech. Ce n'est qu'une fée!

Tiana redescend.

— Merci, Tiana, dit Orion.

Les trolls s'éloignent en reniflant le sol. Ils sont en sécurité… pour l'instant.

Le baron applaudit.

— Oh, quelle bande de héros vous faites! Maintenant, voyons comment vous vous en tirerez dans la forêt de la peur.

Il quitte le balcon, disparaissant dans le versant de la vallée.

Orion sort de l'étang des noyés et s'assoit sur la berge. Il enlève ses bottes et les retourne. De l'eau glacée s'en écoule à grands flots.

— Un peu frisquet pour la baignade, plaisante-t-il.

Louka lève les yeux vers le prédatron. Les trolls avancent vers une forêt argentée.

— Allons-y ! dit-il en s'élançant derrière eux.

Tiana file à toute allure à côté de lui.

— Dépêche-toi, Orion ! lance-t-elle.

Le géant remet ses bottes et les suit en clopinant.

— Je fais aussi vite que possible.

CHAPITRE 20

La forêt de la peur est faite de métal. Louka avance à pas feutrés parmi les grands arbres en fer tordu, leurs branches garnies de pointes empêchant le clair de lune de passer. Il se baisse pour passer sous des feuilles rouillées et se glisse sans bruit devant des buissons de barbelés, guettant dans l'ombre. Il entend les trolls renifler devant lui ; ils suivent l'odeur de la viande.

— Sois prudent, murmure Orion en se frayant un passage entre les branches de métal.

— Ça donne froid dans le dos ici, dit Tiana. Je n'aime pas ça.

Louka se déplace furtivement. Soudain, il entend un bruit de corde pincée, et une flèche siffle à travers les branches.

— Les chasseurs, dit-il en s'accroupissant.

— Où sont-ils ? demande Tiana en se réfugiant rapidement derrière une feuille rouillée. Je ne les vois pas.

Une autre flèche passe à toute allure entre les arbres. Les trolls hurlent, et Louka les entend se disperser bruyamment dans toutes les directions parmi les broussailles de métal.

Orion s'éloigne à grandes enjambées.

— Restez avec eux, dit-il en s'ouvrant un chemin dans la forêt, brisant les branches de fer de ses mains nues.

Louka entend un cri aigu à sa gauche ainsi qu'un fracas métallique. Il se précipite à l'endroit d'où venait le bruit et découvre un grand filet pendu à un arbre. Un troll est pris à l'intérieur.

Une trappe s'ouvre brusquement près d'un buisson, et Biggy en sort, brandissant un arc et une flèche. Il tire sur le troll, et la bête rugit.

Louka bondit vers le chasseur.

— Sacrebleu ! s'écrie Biggy en voyant Louka venir vers lui.

Biggy retourne vite sous terre, refermant la trappe au-dessus de lui. Louka atterrit sur la trappe avec un bruit sourd et tente de soulever l'abattant, mais

celui-ci est coincé. Louka entend le déclic d'un verrou qu'on pousse, puis le grincement des pédales d'une voiturette qui s'éloigne bruyamment sous le plancher de la forêt.

— Là-haut, Louka! lui indique Tiana.

Elle tourne en rond autour du troll prisonnier du filet.

Louka saute en l'air, donnant des coups de griffes dans le filet pour le déchirer et libérer le troll. Ce dernier atterrit lourdement dans la neige, se relève et fixe Louka en écarquillant les yeux. C'est un jeune mâle à l'air effrayé.

C'est alors que retentit la voix du baron :

— Tuez le loup-garou!

Une trappe s'ouvre dans le tronc d'un arbre en métal. Pedro Pedroso surgit, armé d'une arbalète. Il tire sur Louka. Celui-ci fait un bond de côté, et la flèche passe tout près de lui, effleurant sa queue touffue. La trappe se referme aussitôt, et on entend le chasseur descendre sous terre avec une échelle. Louka s'éloigne en bondissant à quatre pattes.

— Attention! lance Tiana qui le suit en volant.

La pointe acérée d'une autre flèche luit au clair de lune. Louka se baisse vivement, et la flèche ricoche sur une branche en métal. Un couteau passe ensuite en tournoyant dans les airs. Il atterrit dans un buisson de barbelés. Louka reste baissé tout en courant entre les arbres, jusqu'à ce qu'il aperçoive enfin le clair de lune devant lui.

Il trouve Orion à la lisière de la forêt, où le géant essaie de calmer un troll. Il s'affaire à retirer des bouts de filet entortillés autour de ses défenses.

— Tout doux, ma belle. On va te sortir d'ici, dit le géant.

La créature grogne au moment où Orion la libère. Elle s'éloigne hors de la forêt, suivant l'odeur de la D^re Roussel.

— Orion, est-ce qu'ils sont tous sains et saufs? demande Tiana.

— Ils s'en sont tous tirés, oui, répond le géant.

Louka entend le grincement des voiturettes sous terre. Les chasseurs grimpent dans le prédatron.

— Mais ce n'est pas terminé, ajoute-t-il.

CHAPITRE 21

Louka fonce devant Orion et Tiana pour tenter de rattraper les trolls.

La vallée se rétrécit en un étroit passage entre deux murs de métal de plus de 30 mètres de haut. Le passage est éclairé par une guirlande d'ampoules électriques. À la queue leu leu, les trolls s'y engagent comme dans un entonnoir en reniflant le sol. Louka les rejoint en courant.

— Brutus, démarre le broyeur !

Le baron Marrakech se tient tout en haut du mur de droite et regarde en bas.

Derrière les murs de métal, on peut entendre le grondement d'un moteur. De grandes plaques de neige tombent dans la vallée au moment où les murs commencent à se déplacer vers l'intérieur. À l'avant, les trolls se mettent à rugir. Le passage rétrécit. Les trolls poussent des grognements, martelant les murs de leurs poings. Ils sont pris au piège dans le broyeur.

— Chasseurs, chargez vos armes ! tonne le baron Marrakech.

Louka lève les yeux et voit cinq fusils pointés vers les trolls.

— Visez ! Fe…

Soudain, on entend un grand fracas métallique ainsi que le gémissement des pistons qui peinent.

— Minus ! Brutus ! Qu'est-ce qui se passe ? demande Marrakech.

Il y a quelque chose qui cloche dans le broyeur.

Louka se retourne. Orion se trouve à l'entrée, repoussant les murs de ses mains puissantes. Tiana plane au-dessus de lui.

— Pousse, Orion ! Pousse ! l'encourage-t-elle.

Les moteurs râlent. On entend comme un toussotement suivi d'un claquement sonore lorsque le broyeur se brise et que les lumières s'éteignent. Les murs commencent à s'éloigner petit à petit.

— Vite, feu à volonté ! hurle le baron.

Les fusils des chasseurs retentissent, mais les balles ratent la cible alors que les trolls s'enfuient, jetant des étincelles sur les murs de métal.

Orion avance à grands pas vers Louka.

— Rien n'est plus fort qu'un géant, déclare-t-il.

Louka regarde en haut. La silhouette de Marrakech se découpe sur le clair de lune. Le baron agite le poing.

— Toi et tes misérables amis, loup-garou ! Je vous aurai ! dit-il avec mépris. La guerre est lancée !

Le baron tire une fusée éclairante orangée dans le ciel. Celle-ci reste suspendue dans les airs, illuminant la vallée. Louka se précipite hors du broyeur. Dans la lumière orangée, il peut voir les trolls qui traversent une vaste section du prédatron en suivant la trace laissée par la viande.

Le baron apparaît sur un balcon d'un côté de la vallée et élève son porte-voix.

— Que la bataille commence !

Cinq trappes s'ouvrent dans le versant de la vallée, et les chasseurs lancent des grenades. Celles-ci forment d'immenses cratères en explosant dans la neige.

Les trolls se ruent dans toutes les directions. Un disque métallique surgit brusquement du sol, projetant un troll dans les airs. Louka entend le sifflement des balles, suivi d'un bruit sourd lorsque le troll retombe. Ce dernier se relève, les jambes tremblantes.

— Manqué ! s'indigne Marrakech. Vous êtes donc incapables d'atteindre une cible en mouvement ? Brutus, immobilise les trolls ! Active l'instacolleur !

Un gros tube émerge du versant. Il souffle une volée de boules noires qui éclatent en touchant le sol, dispersant des flaques de colle par terre. Un troll passe en courant dans l'une d'elles. Ses pieds y restent collés, et la bête hurle de rage en essayant de se dégager.

— C'est ça, approuve le baron. Minus, envoie les rondins !

Trois troncs d'arbres dégringolent alors la pente, renversant un troll au passage.

— Maintenant, allumez les gaz !

Louka entend un sifflement tandis que des colonnes de gaz jaune s'échappent des tuyaux qui sortent du sol. Le gaz se répand dans la vallée, et Louka a les yeux qui piquent. Devant lui, il distingue un troll qui rampe pour tenter d'échapper au gaz, le visage ruisselant de larmes.

— Bou hou hou! fait le baron. Démarrez le boulet de démolition!

Un énorme bruit de manivelle se fait entendre. Au centre de la vallée, Louka observe le grand poteau auquel est attaché un immense boulet au bout d'une chaîne. Le poteau se met à tourner. Le boulet se balance au bout de la chaîne. Il décrit des cercles en effleurant la neige, tournant de plus en plus vite. Le boulet heurte un troll, qui est projeté au loin.

— Activez le grappin! poursuit baron.

D'un côté de la vallée, Louka aperçoit la grue munie d'un grappin. Son long bras de métal bouge, abaissant le grappin jusqu'au sol. Celui-ci se referme autour de la jambe du troll, le soulève et le balance au-dessus de la vallée.

Une deuxième fumée éclairante orangée éclate dans le ciel. Les trolls rugissent: ils sont pris dans la colle, étouffés par les gaz, projetés dans les airs ou frappés par le boulet de démolition et les rondins.

— Chasseurs, tuez à volonté! beugle Marrakech.

— Nous devons les sauver! s'écrie Tiana.

Louka gronde férocement.

— **Il est temps de chasser les chasseurs!**

CHAPITRE 22

Louka promène son regard sur la vallée pour repérer les chasseurs. Il aperçoit Pedro Pedroso dans une trappe, tout en haut du versant, et s'élance à quatre pattes dans la neige. Il bondit sur un disque métallique, et un ressort le propulse vers le versant. Louka heurte le mur et s'y accroche avec ses griffes. Au-dessus de lui, Pedro Pedroso charge une carabine. Louka grimpe jusqu'à la trappe et se jette sur l'arme, la coupant en deux avec ses dents.

Le chasseur est stupéfait.

— *Ay Carumba !*

Louka saisit Pedro Pedroso par sa queue de cheval et le sort de la trappe. Le chasseur fait la culbute et dégringole dans la neige, atterrissant dans une flaque de colle. Il essaie de se relever, mais n'y arrive pas.

— *Ayuda !* s'écrie-t-il.

Tiana vole jusqu'à lui et le foudroie de ses étincelles.

— Vas-y, Louka ! lance-t-elle.

Ce dernier se glisse dans la trappe. Il est maintenant de retour dans les installations intérieures du prédatron. Il se laisse tomber sur les rails et suit la voie le long du tunnel. Plus loin, une voiturette à pédales est garée, et Herman Pinkel est penché au-dessus d'une trappe. Louka s'approche à pas de loup derrière le chasseur et gronde.

Herman Pinkel se retourne.

— *Achtung Volf !* s'exclame-t-il en laissant tomber sa carabine.

Il recule, vacillant sur ses jambes, et tombe sur un tas de troncs d'arbres d'un côté du tunnel.

— La fête est terminée, grogne Louka.

Il actionne un levier, et le mur du tunnel s'ouvre. Les troncs d'arbres déboulent dans un bruit de tonnerre, entraînant Herman Pinkel avec eux.

— *Autsch ! Oooh ! Aaah !* gémit le chasseur en culbutant dans la vallée.

Louka se lèche les crocs.

— Par ici, Louka ! indique Tiana en survolant une trappe qui s'ouvre dans le sol enneigé.

Chuck Armstrong surgit dans l'ouverture, faisant tourner deux pistolets entre ses doigts. Il les braque en direction d'un troll qui avance péniblement à travers le gaz jaune.

Louka virevolte et bondit le long des rails à l'intérieur du prédatron. Il voit une affiche portant l'inscription **ATTAQUE AU GAZ** et s'élance sur la piste qui plonge en pente raide sous la vallée. Dans le tunnel devant lui, il reconnaît les jambes de Chuck Armstrong. Le chasseur est debout au sommet d'une échelle.

Louka entend le chasseur tirer. Il se rue sur une conduite de gaz au pied de l'échelle et la fend en deux avec sa mâchoire. Un jet de gaz jaune monte en flèche, s'élevant dans la trappe jusqu'à Chuck Armstrong. Louka grimpe à l'échelle tant bien que mal et découvre le chasseur à quatre pattes dans la neige, entouré d'un nuage de gaz.

Le chasseur pleure comme un bébé.

— Je veux ma maman !

Pendant ce temps, le troll s'éloigne. Chuck Armstrong l'a raté.

Louka cherche Tiana du regard et voit une gerbe de flammes jaillir au loin. En haut, dans la vallée,

Biggy tient un lance-flammes et pourchasse un troll. Celui-ci a été frappé par le boulet de démolition et avance en trébuchant, sonné.

Tout à coup, Biggy s'arrête. Une étincelle tourne autour de sa tête. Louka sourit. Tiana a attaqué le chasseur. Les flammes s'élèvent haut dans les airs tandis que le gros homme titube dans la neige, essayant d'atteindre la fée avec son lance-flammes. Tiana descend en piqué et fait un brusque détour.

— Vas-y, Tiana ! crie Louka.

Le boulet de démolition tournoie. Orion s'approche et le saisit. Il balance le boulet en direction de Biggy.

Tiana s'envole en trombe, et le boulet de démolition percute le gros homme.

— Aaaaaaah ! fait Biggy en dévalant la pente.

Louka entend la voix du baron Marrakech d'un côté de la vallée :

— Espèces de sales bêtes qui fourrent leur nez partout !

Le baron fulmine.

— Tuez-les tous, Lady Semolina !

Sur un balcon, celle-ci fait pivoter une mitrailleuse.

169

— Pas question, grogne Louka.

Il traverse la vallée à toute vitesse jusqu'à la grue. Il saute dans la cabine et tire un levier. Le bras de la grue se déploie. Louka actionne un autre levier, et le bras se dresse au-dessus du balcon. Il en tire un troisième, et le grappin s'ouvre.

Au moment où Lady Semolina commence à faire feu, Louka abaisse le grappin vers elle et le referme autour de sa taille. Il la soulève et la balance au-dessus de la vallée.

— Au secours! hurle-t-elle en se trémoussant dans les airs.

Louka descend de la grue d'un bond et pousse un grondement féroce.

— Beau travail, Louka, lance Orion.

Le géant le rejoint à grands pas. Tiana vole non loin derrière.

— Ça leur apprendra, à ces chasseurs, dit la fée.

— Vous n'avez pas encore gagné! s'écrie le baron.

Il désigne l'autre bout de la vallée.

— Avez-vous oublié cette chère D^{re} Roussel?

Les cinq trolls sont loin devant, suivant la trace de la viande dans la neige. Ils se dirigent vers une

170

grande arcade en métal bordée de lumières cligno-
tantes de couleur. Elles forment le mot **AUGE**.

— **LE SOUPER DES TROLLS EST SERVI!**
annonce le baron.

CHAPITRE 23

— Toi, tu sauves D^re Roussel, dit Orion à Louka. Moi, je m'occupe des trolls.

Louka passe devant les trolls en bondissant et franchit l'arcade avant de pénétrer dans un grand tunnel. Il jette un regard derrière lui. Orion bloque l'entrée, arrêtant tous les trolls qui s'amènent. La veste en cotte de mailles du géant cliquette tandis qu'ils lui donnent des coups de tête et foncent sur lui.

— Allons, on se calme, dit Orion.

Tiana vole parmi les trolls et les aveugle de sa lumière.

— Vous n'avez pas le droit d'entrer ici.

— Bonne idée, Tiana, approuve Orion. Ne les laisse pas s'approcher.

Louka traverse le tunnel à toute vitesse et se retrouve dans une étendue ronde et enneigée aux parois de métal. Il aperçoit des balcons et un anneau de projecteurs éclairant la neige. Au centre, une grande auge en métal repose par terre. Plus loin, il remarque les entrées de plusieurs tunnels sombres. Il regarde en l'air. Il se trouve devant la montagne Trouée, dont la silhouette se dresse à une centaine de mètres de haut au bout de la vallée.

Un mouvement dans l'auge attire soudain l'attention de Louka. D^{re} Roussel est couchée là, enveloppée dans la couverture de viande. Elle est bâillonnée et se débat, attachée à l'aide de cordes et de chaînes. Louka court vers elle.

— Tu vas quelque part, loup-garou?

Louka lève la tête. Le baron Marrakech se tient sur un balcon, son porte-voix à la bouche.

Louka gronde.

— Tu ne vas pas dans la bonne direction, continue le baron. C'est M. Orion qui va mourir le premier. Minus! Brutus! Enterrez le géant!

Louka se tourne vers la voûte. Des éclats de métal sont projetés dans la vallée lorsque la voûte explose en une boule de flammes vives. L'onde de choc frappe Louka en pleine poitrine et le projette au sol. Horrifié, il voit un nuage de fumée s'élever et dévoiler un énorme tas de neige et de débris de métal. La voûte s'est effondrée. Orion est enterré dessous.

— Orion ! crie Louka en se relevant avec difficulté.

Il retourne sur ses pas et commence à creuser frénétiquement, retirant des poutrelles d'acier tordues et les jetant de côté.

Tiana arrive en volant de l'autre côté du monticule.

— Orion ! appelle-t-elle.

Louka soulève une poutrelle et aperçoit le bout d'un doigt d'Orion qui dépasse. Il enlève le métal et la neige autour de la main du géant.

— Orion, lève-toi !

La main est lourde et inerte.

Tiana se perche sur le bout du doigt du géant.

— Non ! sanglote-t-elle. Pauvre Orion !

Une larme roule sur sa joue.

Louka lève les yeux. Il entend les trolls qui gravissent péniblement l'autre versant du monticule en reniflant et en grognant. Ils viennent chercher leur repas.

— Sauve D^re Roussel… ! supplie Tiana.

Louka ne peut plus rien pour Orion maintenant. Il se retourne et court vers l'auge.

Du balcon, le baron aboie dans son mégaphone :

174

— Minus! Brutus! Arrêtez le loup-garou!

Au-dessous du baron, une porte en métal s'ouvre; Brutus et Minus sortent dans la neige. Le gros homme tient une barre de fer, et le petit homme se cache derrière lui.

— Attrape-le, Brutus, dit Minus.

Louka pousse un grognement menaçant lorsque le gros homme s'avance vers lui en courant.

Brutus brandit la barre pour le frapper.

Louka se baisse vivement, et la barre fend l'air, frôlant son oreille et effleurant sa fourrure.

Minus demeure tapi derrière Brutus.

— C'est ça, montre-lui un peu! ajoute le petit homme.

Brutus s'élance à nouveau.

Louka exécute un plongeon de côté et atterrit dans la neige.

Le gros homme se dresse au-dessus de lui, empoignant la barre à deux mains.

— Tu l'as, cette fois. Assomme-le! dit Minus qui observe la scène entre les jambes de Brutus.

Louka roule au moment où la barre de fer s'abat lourdement dans la neige. Il bondit, saisit la barre entre ses mâchoires et la brise en deux.

— Sapristi! s'écrie Brutus en reculant.

Louka gronde de plus belle, montrant les crocs.

— Qu'est-ce que je fais maintenant? demande Brutus.

— Cours! hurle Minus.

Les deux hommes retournent en courant vers la porte dans le versant.

— Revenez, misérables poltrons! ordonne le baron Marrakech.

Minus et Brutus franchissent la porte à toute vitesse et la referment derrière eux.

— Je vais m'occuper de toi moi-même, loup-garou! siffle le baron.

Louka jette un coup d'œil vers Marrakech, qui saute du balcon et tombe dans la neige. Il entend les grognements des trolls. Il se tourne vers la voûte détruite. Les trolls ont grimpé le monticule et se dirigent vers l'auge. Louka bondit auprès de la D^{re} Roussel. Il mord dans les chaînes et les cordes entortillées autour d'elle, et déchire la couverture de viande.

D^{re} Roussel enlève son bâillon.

— Merci, Louka! dit-elle en se hissant hors de l'auge, le souffle court.

— Pas si vite, loup-garou!

De l'autre côté de l'auge, une trappe s'ouvre dans le sol. Le baron Marrakech en sort, braquant un pistolet sur Louka.

— Maintenant, c'est *toi* qui vas mourir !

Au moment où le baron appuie sur la détente, Louka se précipite dans l'auge pour se mettre à l'abri. La balle ricoche sur le métal.

— Laissez-le tranquille ! crie D^{re} Roussel.

— Bon, d'accord, si vous y tenez, dit le baron. Je le laisse aux trolls, dans ce cas.

Il éclate de rire.

— **HA HA HAA HAA HAAAAAAA HAAAAAAAAA AAAAA !**

Louka risque un regard hors de l'auge.

Les cinq trolls s'amènent vers lui en salivant dans un bruit de tonnerre. Louka est couché parmi les steaks !

Il se lève d'un bond et lance la couverture de viande sur Marrakech. Elle tombe sur la tête du baron, le couvrant en entier. D^{re} Roussel s'avance, munie d'une chaîne qu'elle enroule autour des épaules du baron. Elle la serre solidement. Le baron gigote et sautille pour tenter de se défaire de la couverture de viande.

— Noooooooon ! hurle-t-il.

Il se met à courir alors que les trolls affamés passent avec fracas devant l'auge, s'élançant à sa poursuite.

Louka et D^re Roussel regardent le baron courir vers la montagne Trouée, avec la couverture de viande sur la tête. Le baron fonce tout droit dans le pied de la montagne et tombe à la renverse. Il se relève, flageolant sur ses jambes. Il avance à l'aveuglette le long du mur.

Les trolls chargent vers lui à quatre pattes, fendant l'air de leurs défenses.

Le baron atteint un tunnel et court à l'intérieur. Les trolls s'élancent à sa poursuite. Louka entend leurs grommellements affamés qui résonnent tandis que le baron crie :

— Je reviendraiiiiii !

Louka regarde en direction du tunnel, haletant.

— Où est Orion ? demande D^re Roussel.

Louka se tourne vers le tas de métal et de neige là où la voûte s'est effondrée. Il distingue la lumière de Tiana qui brille au-dessus du doigt d'Orion.

— Je n'ai pas pu le sauver, répond-il.

Alors qu'il fixe le monticule, Louka voit bouger l'amas de ferraille et entend un grondement.

Orion émerge des débris.

Tiana s'envole en scintillant.

— Orion est vivant ! s'exclame-t-elle.

Le géant se frotte la tête et regarde autour de lui.

— Mais où sont passés ces trolls ? demande-t-il.

Louka sourit, et ses crocs étincellent. Il lève les yeux et hurle à la lune.

CHAPITRE 24

Le lendemain, Louka se réveille tard et sent le soleil sur son visage. Il ouvre les yeux. Il est de retour dans sa tanière au pavillon Brizard. Sur le pas de sa porte, un jean et un t-shirt sont pliés. Louka les enfile et sort dans la lumière du jour.

Tiana, qui arrive du pâturage, vole à sa rencontre.

— Bonjour, Louka. Tu as été génial hier soir !

Louka se frotte les yeux.

— C'est vrai ?

— Tu ne te rappelles pas ? Tu as mis fin à la chasse aux trolls. Tu as sauvé D^{re} Roussel.

Louka passe sa langue sur ses dents. Ses crocs sont rentrés dans ses gencives. Le souvenir de sa transformation est flou.

— Comment sommes-nous rentrés ? demande-t-il.

— Orion a redressé les pales de l'hélicoptère et nous sommes revenus ce matin. Après t'avoir attendu, bien sûr. Tu t'en es donné à cœur joie hier soir en poursuivant des lièvres des neiges. D^{re} Roussel t'a laissé courir en liberté dans les montagnes.

Louka sourit.

— Viens. D^{re} Roussel m'a demandé de venir te chercher, dit Tiana.

La fée s'envole, et Louka la suit le long du pâturage jusque dans la cour.

— Bonjour, Louka.

Orion sort de l'entrepôt de nourriture. Le géant a sous le bras une béquille fabriquée à partir d'un tronc d'arbre, et un bandage lui entoure la tête.

— Est-ce que ça va, Orion ? demande Louka.

— Un baril de pommes et un seau de thé vont m'aider à guérir. Tu as été brave hier soir, Louka. Tu leur as donné une bonne leçon, à ces chasseurs.

— Ils sont tous derrière les barreaux à l'heure qu'il est, déclare D^{re} Roussel en sortant par la porte latérale du pavillon Brizard. Le Service des urgences criminelles nationales et internationales s'est montré très intéressé par leurs activités.

— Le SUCNI ? demande Louka.

— J'ai contacté le SUCNI avant de quitter l'auberge de l'Arsenal. Les agents ont arrêté les chasseurs et s'affairent à démonter le prédatron.

D^re Roussel tient une cage dans laquelle se trouve la chauve-souris messagère de Boule de gomme. Elle sourit à Louka.

— Merci de m'avoir sauvée hier soir.

Elle pose la cage par terre et le serre dans ses bras.

— Il n'y a pas de quoi, docteure Roussel, dit Louka en se tortillant pour se dégager.

Il regarde la chauve-souris. Celle-ci grignote une sauterelle, faisant le plein avant le trajet de retour.

— Je n'aurais pas pu réussir sans l'aide de Boule de gomme. Il m'a secouru.

— Il semble bien que le professeur Brizard savait ce qu'il faisait en nommant Boule de gomme guetteur, fait remarquer la vétérinaire.

Elle arrête son regard sur Tiana et lui adresse un clin d'œil.

— N'empêche qu'il pue, dit la fée en rigolant.

D^re Roussel s'agenouille et ouvre la porte de la cage.

— Veux-tu libérer la chauve-souris messagère, Louka ?

Ce dernier tend le bras et saisit la chauve-souris de Boule de gomme.

— Une minute, Louka, dit D^re Roussel.

Elle sort de la poche de sa blouse blanche un bout de papier sur lequel elle a écrit Merci.

Elle glisse le message dans l'anneau autour de la patte de la chauve-souris. Louka relâche ensuite la bête qui prend aussitôt son envol. Il la regarde survoler la cour en décrivant des cercles, puis s'éloigner au-dessus du pavillon Brizard.

— Au revoir, petite chauve-souris !

Grimaud la gargouille sautille sur le toit en agitant la main.

Louka suit la chauve-souris des yeux jusqu'au moment où elle n'est plus qu'un minuscule point au loin.

— Et qu'est-ce qui est arrivé aux trolls ? demande-t-il à la D^re Roussel.

— Les trolls sont des créatures solides. Ils s'en tireront. À cette heure-ci, les plus jeunes ont certainement déjà rejoint leurs familles sans encombre.

Louka se demande s'ils ont mangé le baron.

— Il reste un détail que je ne comprends pas tout à fait. Comment Marrakech a-t-il découvert le prédatron ?

D^re Roussel et Orion échangent un regard. Le géant hoche la tête.

— Je crois qu'il y a quelque chose que tu devrais savoir, Louka, dit-il.

Le garçon suit la vétérinaire dans son bureau.

— Tu ferais mieux de t'asseoir, Louka. J'ai bien peur que ce soit assez bouleversant.

Un album de photos en cuir se trouve sur le bureau.

— Nous avons trouvé ça à l'auberge de l'Arsenal.

Louka s'assoit sur la chaise derrière le bureau de la D^re Roussel. Il ouvre l'album et le feuillette. Il découvre de vieilles photos en noir et blanc.

— C'est horrible, dit-il.

Sur chaque photo, un chasseur exhibe la tête d'une bête morte montée sur une plaque comme un trophée. On y voit des têtes de trolls… de griffons… de giranhas… d'ânetilopes… et, sur l'une des photos, un chasseur tient la tête d'un loup-garou.

Louka a envie de vomir.

— Comment les humains peuvent-ils être aussi cruels ? demande-t-il.

185

— Ces chasseurs ne sont pas des humains ordinaires, Louka. Ce sont tous des Brizard, souligne D^re Roussel. Ce sont les ancêtres du professeur.

— Du professeur Brizard?

— Le professeur est issu d'une longue lignée de chasseurs, Louka.

— Je ne comprends pas. C'était pourtant un homme bon.

La vétérinaire tourne les pages de l'album et lui montre la photo d'un homme debout à côté d'un arbre en métal.

— Cet homme était l'arrière-arrière-grand-père du professeur, explique-t-elle. Il semble que ce soit lui qui a construit le prédatron.

Le visage de l'homme a l'air tordu et méchant.

— Le professeur Brizard n'était pas comme le reste de sa famille, Louka. Il a mis fin aux activités du prédatron quand il a hérité du domaine Brizard. Il a fondé la SRPCB pour protéger les bêtes et pour réparer les torts que ses ancêtres ont causés.

Louka est secoué.

— Vous voulez dire que tous les Brizard étaient malveillants?

Soudain, il se souvient qu'alors qu'il était enchaîné à la guillotine, Marrakech a accusé le professeur d'avoir trahi le nom des Brizard.

— Ce n'est pas Marrakech qui était en disgrâce aux yeux de la famille Brizard, Louka. C'était le professeur.

D^{re} Roussel referme l'album de photos.

— Mais c'est terminé maintenant, déclare-t-elle. Marrakech est parti, grâce à toi.

La vétérinaire siffle, et le coup de main entre précipitamment.

— Classe ceci sous la rubrique « Chasse historique », tu veux bien ?

Le coup de main prend l'album et le range dans une armoire au fond de la pièce.

D^{re} Roussel ouvre la porte de son bureau, et Louka la suit dans le couloir.

— Tu devrais faire une activité qui t'amuse aujourd'hui, Louka. Tu as eu une dure nuit.

— Je vais bien.

Elle lui ébouriffe les cheveux.

— Pourquoi ne viendrais-tu pas avec moi dans la chambre d'incubation ? Nous avons des belettes-méduses qui doivent naître d'un moment à l'autre.

— J'irai dans un instant. J'ai quelque chose à faire d'abord.

D^re Roussel s'éloigne dans le couloir.

— À tout à l'heure, dans ce cas.

Louka monte l'escalier de service en courant. Il traverse la chambre des curiosités à toute allure et ouvre la porte de la bibliothèque. Il fait noir à l'intérieur.

— Professeur, vous êtes là ?

Sur une table contre le mur du fond, une bougie s'allume, éclairant le portrait du professeur Brizard.

— Je suis au courant pour votre famille, dit Louka.

Il fixe le tableau, observant les yeux bienveillants du professeur.

— Je suis venu vous dire que le prédatron a été démonté. Marrakech est parti.

Mais tandis qu'il prononce ces mots, Louka sent un courant d'air froid le traverser. La bougie s'élève dans les airs.

— Ça ira, professeur. Tout est terminé.

La bougie flotte vers la fenêtre. Louka voit le coin du rideau s'écarter et laisser entrer la lumière du jour. On aperçoit le parc des bêtes à l'extérieur.

— Nous sommes en sécurité, professeur, dit Louka.

188

Puis les poils de sa nuque se hérissent lorsqu'un doigt invisible commence à écrire sur la vitre poussiéreuse : **PRENDS GARDE. AUCUNE BÊTE N'EST EN SÛRETÉ AVEC LUI.**

FIN... POUR L'INSTANT